マスターした私の

最強の外国語習得法

Kazu Languages

SB新書
653

▼はじめに

「外国語を自由自在に使えたらいいな」

きっと多くの人が、一度は夢見たことがあるのではないでしょうか。

一方で、「何度か外国語習得にトライしたけれど、挫折してしまった」——というのもまた、多くの人に共通する経験だと思います。そのために外国語習得は「難しいもの」「大変なもの」と刷り込まれて、半ば諦めている人も少なくないはずです。

なんともったいないことでしょう。「学び方」さえ工夫すれば、外国語習得は、それほど難しくも大変でもありません。誰でも、いつからでも、何語でも、何ヵ国語でも、習得できる。私自身、日本で生まれ、育ちましたが、実体験からそう断言できます。

私も、以前は外国語を習得するのは難しいと思っていました。

でも、今ならわかります。外国語習得を難しいと感じるのは、それを「勉強」として捉えているからなんだ、と。

「外国語習得」とは、外国語を「勉強」するということではないの？　という声が聞こえてきそうですが、私は明確に違うと考えています。そして不思議なことに、外国語学習を「勉強」と捉えるほど、習得というゴールは遠くなってしまうのです。

私は、学校の「英語の授業」がどうしても好きになれませんでした。

しかし、ある時外国の言語や文化への関心が高まり、気付けば5年間でスペイン語、英語、フランス語、アラビア語、インドネシア語、ロシア語、ポルトガル語、ドイツ語、トルコ語、中国語、タイ語、韓国語の12ヵ国語をマスターしていました。

今、その違いは何だったのかと振り返ってみると、当時はそれが「勉強」でしかなかったからです。もっと言えば、いつどこで役立つのかわからない知識を、ひたすら頭に入れて、テストで合格点を取るためだけのものになってしまっていたように思います。身につかなかったのは無理もありません。

しかし、スペイン語をはじめとする12ヵ国語の習得は、実際に取り組んでみると「勉強」ではありませんでした。自在に使えるようになりたい一心で学び方をゼロから見直したことで、習得までの道のりのすべてがワクワクに満ちたものになりました。

私は決して「語学の達人」ではありません。天才的な語学センスをもち合わせているわけでもありません。ただ、今まで12の言語をほぼ独学で習得する中で、どのような言語でも「このポイントさえおさえれば、効率的に身につけられる」というコツをつかみ、実践してきただけです。

本書では、学校の教科書や語学教材どおりに学ぶ「勉強」とは別のアプローチで、楽しくかつ効率的に外国語を習得する秘訣(ひけつ)を紹介します。

英語をはじめから学び直したい方から、英語以外の外国語に挑戦したい方まで、外国語習得を志すすべての方々にとって、本書が少しでも参考になれば幸いです。

2024年3月吉日

Kazu Languages

『ゼロから12ヵ国語マスターした私の最強の外国語習得法』　もくじ

第2章　外国語習得がはかどる最強ツール

第3章　最も効率的な外国語習得のステップ

第4章　外国語習得を加速させる習慣術

第5章 絶対に挫折しないマインドセット法

第1章

たった5年で「12ヵ国語マスター」

――試行錯誤してたどり着いた超効率外国語習得法

学校で習った英語はぜんぜん楽しくなかった

▼「英語という科目」をこなした学生時代

スペイン語、英語、フランス語、アラビア語、インドネシア語、ロシア語、ポルトガル語、ドイツ語、トルコ語、中国語、タイ語、韓国語――。これら12ヵ国語は、私が今までに習得してきた言語です。

言語によって習熟度の違いはありますが、「ネイティブの人たちとおしゃべりする」「ブログやSNSなどのライトな文章を読む、書く」くらいならば、12ヵ国語すべてで不自由なくできます。

私が触れた最初の外国語は、多くの人と同じく「英語」です。小学校高学年で「英語の授業」が始まりました。

しかし、学校の授業をきっかけに外国語学習に目覚めたか、というと、まったくそんなことはなかったのです。

特に学校の英語の授業中は、いつも「こんなフレーズ、いつ使うんだろう？」「文法の勉強ばかりでおもしろくないな」と思っていました。当然、「これで英語ペラペラになって、日本語を話さない世界中の人たちとコミュニケーションが取れるようになる！」といったワクワクした気持ちを抱くこともありませんでした。

学校の定期テストこそ常に平均点以上をキープしてはいましたが、一向に英語を「話せる」ようにはならない。いくら勉強しても、「英語を自在に使えるようになっている自分の姿」がイメージできない。

そんな日々の中で、ただただ「英語という科目の勉強」を無理してこなしている感じすらありました。

授業で英語を学ぶ学生時代に、こうしたフラストレーションを感じた経験があるのはきっと私だけではないでしょう。

現に「多くの日本人は小学校、中学校、高校と何年間も英語を勉強するのに、学校の授業だけで英語を話せるようになる人はほとんどいない」というのは、よく指摘されることです。そのために「英語コンプレックス」に陥ってしまっている人も多いのではないでしょうか。

日本の教育に対する批判を繰り広げるのは本書の目的ではありません。とはいえ、多くの人が何年間も勉強しても英語を使えないのは、何も個々人の能力の問題ではなく、やはり学校のカリキュラムが英語を使えるようになるように組み立てられていないからだと思えてなりません。

ともかく、私の最初の外国語体験は、「英語の勉強って、あんまり楽しくないな」と感じるだけで終わってしまいました。

そんな私が、なぜ、英語を含む12ヵ国語を習得できたのか？

いつから、どのようにして、楽しみながら外国語を学習し、比較的短期間で習得できるようになったのか？

本章では、まず私の外国語習得歴を紹介し、誰でも、すぐに始められる「最強の外国語習得法」へと話を進めていきましょう。

▼世界への扉が開いたきっかけ

私が初めて「日本語以外の言語を学んでみたいな」と思ったきっかけは、幼稚園生のころに地元・愛知で開催された「愛・地球博」でした。

もともと海外に対する漠然とした関心があった私にとって、「愛・地球博」の参加諸国は、初めて具体性をもって目の前に現れた「外国」でした。

興味の赴くまま何度も万博に通ううちに、まず心惹かれたのは世界各国の国旗です。

色とりどりの国旗それぞれがひとつの国を象徴しており、そのひとつひとつの国には日本語とは違う言語を話す人たちが住んでいる。いったいどんな国なんだろう？　どんな言葉なんだろう？　どんな人々なんだろう？

当時の頭の中を改めて言語化するなら、こんな感じでした。

そして幼心に「いろんな国の言葉が話せたら楽しいだろうな。世界中の人と話したい、友だちになりたい」と願うようになったのです。

最初は無邪気な好奇心から生まれた夢でしたが、だんだん「外国の言葉を話せるようになるのは、そう簡単なことではない」という現実もわかってきました。

こうして幼少期の夢が何となく頭の片隅にあるまま、小学校高学年となって英語の授業が始まりました。しかし、先ほども書いたとおり、ほとんど楽しみを見出せないまま、「教科としての英語」をこなすだけでした。

それでも海外への興味が消え失せることはありませんでした。

高校生になると、ヨーロッパの国々の都市――たとえばロンドンやパリの街並みをGoogle Earthで検索するなど、確実に海外への興味が具体化していきました。

それと同時に、「外国の言葉を話せるようになりたい」という気持ちもよりいっそう強くなっていきました。

最初の習得言語は「スペイン語」

▼「流行りの歌」の歌詞を理解したい！

大学に入学したばかりのころ、「Mi Gente」という歌が流行（はや）っていました。スペイン語の歌でした。これ以外にもEnrique IglesiasやShakira、Luis Fonsiなどさまざまなスペイン語圏のアーティストが、当時、世界中で人気を博していました。

私はもともと音楽が好きで、洋楽もよく聴いていました。しかしスペイン語の歌は、それまで聴いてきたものとは違いました。

スペイン語を習得すれば、
コミュニケーションを取れる相手が約５億人増える

そもそも、「スペイン語という言葉そのもの」に心惹かれたのです。「この歌詞はどういう意味なんだろう？　知りたい。それも日本語訳ではなく、スペイン語のままで理解したい」と思ったことが、スペイン語に対する興味の始まりでした。

もうひとつ、スペイン語を学ぶ大きな動機となったことがあります。それは、「スペイン語話者の多さ」です。

ご存じのとおり、スペイン語が話されているのはスペインだけではありません。

スペイン語は中米、南米、カリブ海域、アフリカの21の国と地域で公用語になっています。その上、アメリカなど、「スペイン語をネイティブ言語とする人々」が多く住んでいる国もあります。

話者数では約5億人。厳密にいうと、国や地域によって単語の用法や発音が異なる部分も多少はあるのですが、コミュニケーションが取れないほど大きな違いはありません。

つまりスペイン語を話せるようになったら、理論上、自分がコミュニケーションを取れる相手が約5億人増えるということです。

外国語を学ぶ動機は人それぞれですが、私の経験上、**「その国に興味があること」「その国を好きであること」は、上達を早める一番の推進力**になります。

そして、さまざまな言語を学ぶ根本に「世界中の人と話してみたい」という共通の動機がある私にとっては、「話者数」もまた、学習する言語を選ぶひとつの指標になっているというわけです。

▼実際にスペインに行って知ったこと

こうしてスペイン語を学ぶことを決意した私は、まず、文法書や単語集を購入して読み漁りました。会話文や物語でリーディングやライティングを身につける教材も使いましたし、人気の外国語学習アプリなども試しました。

しかし今振り返ってみると、リスニングの練習と、それに付随するスピーキングの練習が圧倒的に足りていませんでした。

そのため、当然というべきか「スペイン語を使えるようになった」という実感はほとんど得られませんでした。学生時代の英語の授業の記憶が蘇ります。

ようやく少し手応えを感じられたのは、Netflixなどでスペインの映画やドラマを観るようになったころです。登場人物のセリフの意味はあまりわからなくても、だいぶ「ネイティブのスペイン語」に耳が慣れてきたと思えました。

そこで、やはりネイティブと日常的に話せる環境に身を置くのが一番だと考え、思い切ってスペインの大学に留学することにしました。

ちなみに小学校で好きになれなかった英語には、その後、集中的に取り組むことはありませんでした。

とはいえ、世界共通語である英語は身につけておいたほうが便利です。私自身は、スペイン語を学びながら少しずつ英語も学んでいき、日常会話には支障ないくらいの言語力を身につけていきました。

バルセロナにある世界遺産、グエル公園にて。公園は世界的建築家、アントニ・ガウディの作品群の１つ

さて、スペインで入学したのは、北東部の「タラゴナ（Tarragona）」という海辺の街にある大学です。私にとっては、これが初めての海外でした。

バルセロナやマドリードといった主要都市を選ばなかったのは、日本人に出会う可能性を限りなく低くするためでした。留学先で日本人学生とばかり付き合ってしまって、外国語習得に支障をきたしたという話をよく耳にしたからです。

狙いどおり、留学先に日本人はひとりもいませんでした。もうスペイン語を話すしかありません。しかし困ったことに、相手の言っていることがほとんど聴き取れず、自分もぜんぜん話せませんでした。

日本で学習した内容では歯が立たない——予想していた以上の厳しい現実に愕然としましたが、困っているだけでは何にもなりません。スペイン語を使えるようになる以外に、その土地の大学で学び、暮らしていく道はありませんでした。

思い切った選択でしたが、現地に飛び込んだことで、おそらく最速でスペイン語を習得することができたと思います。約半年の間、毎日ネイティブと会話し、たくさん助けてもらっているうちに、リスニングもスピーキングもみるみる上達していきました。

たどたどしいながらもスペイン語を話すと、現地の人たちが喜んでくれたこともいい思い出です。その人たちの底抜けに明るい笑顔や励ましの言葉は、「もっと学んで早く話せるようになりたい」という意欲にもつながりました。

スペイン留学中には週末を使って、フランス、イタリア、ポルトガル、イギリス、オランダ、オーストリア、さらにはモロッコ、トルコを旅しました。特にＥＵ圏内は、かなり安く飛行機で行き来できるのです。

そこで私の関心はますます広く世界に開かれ、もっとさまざまな言語を習得したいという欲求も高まっていきました。しかし、だからといって、新しい言語を学ぶたび現地に留学するわけにはいきません。

では、どうしたら独学で、効率的かつ最速で外国語を「不自由なく使えるレベル」まで習得できるでしょうか？

本書で紹介していくのは、スペイン語、英語に続いて、さまざまな言語を独学で習得することを目指した私が試行錯誤の末にたどり着き、実際に12ヵ国語を習得できた最強の外国語習得法です。

世界は広い、言語っておもしろい

▼フランス語——すべてが美しい言語

スペイン留学中にパリを訪れたとき、あらゆる点で美しさに魅了されました。

歴史を感じさせる街並みの美しさ、街の至るところに漂っている美しい文化の薫り、人々の洗練された美しさ。そして何より私が魅力を感じたのは、まるで詩を囁(ささや)いているかのようなフランス語の響きの美しさでした。

また、かつてフランスはアフリカ大陸の国々を植民地としていたため、今でもアフ

フランス語は何もかもが美しい

リカにはフランス語を公用語とする国が少なくありません。
フランス語を公用語とする国は28、話者数は約2億人にも上るともいわれ、私にとって重要な指標である「話者の数」の点でも申し分のない言語でした。
スペイン語は現地に留学して習得したため、フランス語は、私が「初めて独学で習得した外国語」です。スペイン語とは言語学的に同じグループのラテン系言語に属しており、単語や文法的な知識は比較的習得しやすかったと思います。
しかし発音では苦労しました。あの詩を囁いているかのような美しい響きは、複雑

スペイン留学時代、ツアーでサハラ砂漠に行った際に立ち寄ったモロッコの宿にて

な口の動きによって作られているのです。それなりに正しい発音ができるようになるには、かなり訓練が必要でした。

▼アラビア語——世界最難関の言語

アラビア語に興味をもったきっかけはイスラム教に対する関心でした。

スペイン留学中に訪れたモロッコで、モスクから流れてくる「アザーン」に衝撃を受けました。アザーンとは1日5回の礼拝の呼びかけなのですが、それが独特な節回しの歌のようで、とても響きが美しいのです。

モロッコは、人生で初めて訪れたイスラム圏の国でした。ヨーロッパの国々とは趣向が異なる街並み、市場のスパイスの香り、イスラム圏な

アラビア語は本当に難しい

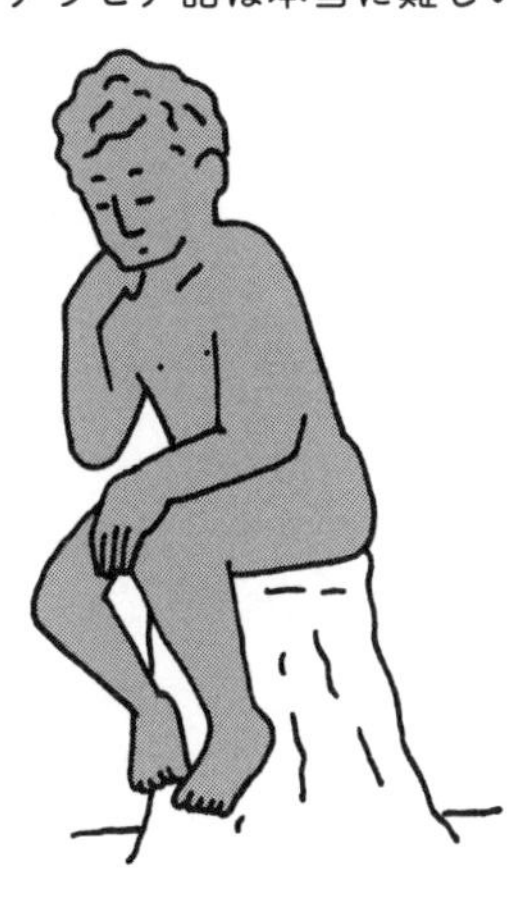

らではの人々の姿と相まって、「ヨーロッパとは違う、未知の文化圏に来たんだ！」と強く感じました。アラビア語への関心が芽生えた瞬間でもありました。

ところでアラビア語は、マイナーな言語というイメージがあるかもしれませんが、国連公用語のひとつです。中東やアフリカの25ヵ国ほどで公用語になっており、話者数も約3億人に上るといわれます。

先に習得したスペイン語とフランス語は、ほぼ英語と同じ文字（A～Zの26字から成るラテンアルファベット）を使い、しかも両方とも「インドヨーロッパ語族イタリック語派」という同じ系統に属します。**同じ系統の言語は文法や単語で似通っている部分が多く、習得しやすいというメリットがあります。**しかし、自分の限界への挑戦も兼ねて、次はまったく別の種類の言語を学びたいという気持ちが強くなっていました。

アラビア語は、言うまでもなく、イタリック語派の言語とは根本的に成り立ちが異なる言語です。もちろん日本語とも、大きく異なります。世界中の言語で、最も習得が難しいとも言われています。

アラビア語を習得するには、未知の文字を覚え、単語も文法もゼロから学ばなくてはいけない。その点においてもチャレンジ精神と興味をかき立てられました。かなり難航することは容易に想像できましたが、覚悟を決めて、アラビア語に取り組むことにしたのです。

実際にアラビア語を学び始めてみると、想定外の壁にぶつかりました。言語そのものが難しいのは予想どおりでしたが、アラビア語を公用語とする国ごとに話し言葉がだいぶ違うことがわかったのです。

アラビア語は、まず、知識層が書き言葉や公的なスピーチで使う標準アラビア語と、一般の人々が話し言葉として使うアラビア語に大きく分かれます。その上、同じアラビア語を公用語とする国でも、たとえばサウジアラビアで話されているアラビア語と、エジプトで話されているアラビア語は違います。

スペイン語も国や地域によって違いますが、アラビア語はその比ではありません。方言のような「少し違うけど理解できる」というレベルではなく、「別の言語なんじゃないか?」というくらい違うのです。

私は標準アラビア語と共に、エジプトのアラビア語を重点的に学ぶことにしました。なぜなら、アラビア語を公用語とする国の中でエジプトは最も人口が多く、アラビア語の中ではエジプトアラビア語の話者が一番多いからです。

また、エジプト映画はアラブ諸国で人気が高いため、おそらくエジプトアラビア語ならば、他のアラブ諸国でも理解できる人が多いに違いないという理由もありました。

「この言語を学ぶことで、どれだけ多くの人とコミュニケーションできるようになるだろうか」というのは、やはり常に私の関心事なのです。

アラビア語を通じて、イスラム教を軸とするアラブ圏の歴史や文化、人々の思想や価値観を知ることができたのは大きな収穫でした。それは私にとって、まさしく初めて触れる異文化であり、自分の目に映る世界が一気に広がった気がしました。

ちなみに標準アラビア語は、昔の形からほぼ変わっていない数少ない言語です。

たとえば712年に編纂(へんさん)された『古事記』の日本語は、現代に生きる私たちからすると、ほとんど理解できない「古語」です。日本語とはいえ、専門家でなければ『古事記』の原文を読み下すことができません。

一方、アラビア語は基本的に昔の形のままなので、標準アラビア語を習得すると、7世紀に編纂されたイスラム教の聖典『コーラン』の原文を読むことができるのです。

ですから、イスラム教徒からすると、標準アラビア語が堪能な人は「西暦610年に神がムハンマドにアラビア語で伝えた言葉をまとめた『コーラン』を原語で読むことができる人(=すごい人)」になるようです。

ときにはこうした意外な発見があることも、外国語を学ぶ楽しみのひとつです。

▼インドネシア語 ——構造がシンプルな言語

次に学ぶ言語としてインドネシア語を選んだ理由は、世界4位を誇る人口を擁し、多様な島々から成るインドネシアという国に興味を抱いたからです。

約2億人ものインドネシア語の話者がいるという魅力に加え、スペイン語→フランス語→アラビア語と習得してきて、今度は、日本から近い東南アジアの言語を学びたいという考えもありました。

インドネシア語を学び始めて驚いたのは、言語としての構造のシンプルさです。

たとえば、次のような特徴があります。

- 動詞の活用がない（動詞の原形＋「昨日」などで過去形、動詞の原形＋「明日」などで未来形の文章になる）
- 多くの言語にある「女性名詞と男性名詞の区別」がない
- 文字は英語のアルファベットと同じ
- 発音はローマ字読みでＯＫ

難しい部分もあるものの、今までに習得してきた他の言語と比べても格段に学びやすかったと思います。難解なアラビア語の後に学んだため、当時は、より一層シンプルに思えたのかもしれません。

▼ロシア語――アラビア語の次に難しい言語

私がよく観ている YouTube チャンネルに、あるイギリス人の YouTuber が旧ソ連の

第一印象は表情が乏しいように見えるが、
ひとたび心を開けば一気に打ち解けるロシア人。
ロシア語はアラビア語の次に難しい？

遺跡や旧ソ連圏を巡っているものがあります。

ある日偶然見つけたのですが、旧ソ連時代の遺跡を魅力的に紹介している数々の動画に、すぐに夢中になりました。そこから旧ソ連諸国の歴史や文化、人々の生活、そしてロシア語へと興味は広がっていきました。

ロシア語の話者が多いこと、さらには「ロシアはひとつの世界」と言われるほど多様な民族で構成され、異なる顔立ち、異なる文化をもつ人たちが住んでいるロシアという国そのものも、日本とは違っていて私には魅力的に映りました。

言語としてはアラビア語の次に難しいと感じました。「格変化・移動動詞」など他の言語にはない文法があり、細かい状況設定によって名詞や形容詞・動詞を使い分けることは特に苦労しましたが、投げ出したくなることはありませんでした。

むしろロシア語を学べば学ぶほど、それがいかに奥深く美しい言語であるかということに気付かされ、どんどん引き込まれていったのです。今では最も好きな言語のひとつになっています。

▼ポルトガル語——哀愁的でメロディックな響きの言語

ポルトガル語を学ぶ動機は、実は、ポルトガルではなくブラジルに関心を抱いたことでした。世界最大の日系移民地であることや、ブラジル人が多く住む日本との関わりについて知り、それらの背景にある歴史的なつながりに惹かれました。

それともうひとつ、ちょうどそのころ、私のYouTubeチャンネルでブラジル人の視聴者が増えていたことも、ブラジルポルトガル語を学ぶ動機になりました。

**世界最大の日系移民地で、日本との関わりが深い国。
ブラジルのポルトガル語と、
ポルトガルのポルトガル語は違う**

YouTubeでの配信を始めてからは、「海外の視聴者とも相手の母語で話してみたい」と思うようになり、それも外国語を学ぶモチベーションになっていたのです。

ところで、**「ブラジルの公用語はポルトガル語」というのが一般常識ですが、厳密にいうと、ポルトガルのポルトガル語とブラジルポルトガル語は違います。**

元は同じ言語なので、ポルトガル人とブラジル人の間でコミュニケーションが成り立たないわけではありません。ただ、文法、発音、表現、話し方などさまざまな点で明確な違いがあるのです。

私がポルトガルのポルトガル語ではなく

ブラジルポルトガル語を学ぼうと思ったのも、先に挙げた理由に加えて、ブラジルポルトガル語の何とも言えず哀愁的でメロディックな響きに惹かれたからでした。

この言語の響きが、かつてブラジルに渡った日本の人々や子孫たちの歴史と重なり合うような気がしてなりません。

▼ドイツ語——論理的で洗練された言語

留学中に訪れたオーストリアで、周囲の人たちが話しているドイツ語を耳にしたとき、素直に「かっこいいな」と思いました。詩を囁いているかのようなフランス語に比べて、ドイツ語はどこか筋肉質で硬派な響きがあるように私の耳には聞こえました。

ドイツはヨーロッパの中でも影響力が大きい国です。二度の世界大戦で敗戦国になり、世界中から責められるという暗い過去を乗り越え、現在の地位を築きました。

そんなドイツの国としてのリーダーシップや影響力、さらには「勤勉」をはじめとするドイツ人の国民性や価値観が日本人と共通すると言われている点など、どこをと

ドイツ語はどこか筋肉質で、硬派な響きをもつ言語

っても私にとっては興味深い国でした。

また、「ゲルマン語派」の言語に挑戦してみたかったというのもあります。

言語学的に、それまで習得してきた言語のうちスペイン語、フランス語、ポルトガル語は「イタリック語派」、ロシア語は「スラブ語派」、そしてドイツ語と英語は「ゲルマン語派」というものに属します。

ドイツ語はドイツ、オーストリア、ベルギー、ルクセンブルク、リヒテンシュタインの公用語であり、ドイツ語の話者数は約1億3000万人だそうです。話者数の多さの点でもドイツ語は魅力的でした。

学んでみると、**ドイツ語は文法にランダ**

ムなところが一切なく、非常に論理的で洗練された言語だと感じました。ネット上では、なぜか「ドイツ語は攻撃的に聞こえることもある言語だ」という言説をよく目にするのですが、むしろドイツ語はとても美しい言語であるというのが私の印象です。

▼トルコ語――日本語とよく似た言語

トルコは、スペイン留学中に訪れた国々の中でも特に気に入った国です。その割にトルコ語を学習するのは遅かったのですが、他の言語を学んでいるさなかでも「いつかは絶対トルコ語を習得しよう」と思い続けていました。

トルコはヨーロッパとアジアの中間に位置する国です。アジアの西の果てであり、ヨーロッパの東の果て。その境界線が引かれているトルコ最大の都市・イスタンブールは、両方の文化的側面を兼ね備えた壮大な都市でした。

また、トルコ人の優しさに触れ、エルトゥールル号事件（1890年に和歌山県沖で遭難したトルコ船の船員を日本人が救い出した出来事）をはじめとする日本との歴史的な関わ

トルコ語と日本語は、発音も意味も似た言葉がある

りを知るにつれて、トルコに対する憧れや関心が高まっていきました。

トルコ語を学び始めて発見したのは、意外にもトルコ語は日本語と似ているということでした。現に、今は否定されているものの、かつては「トルコ語と日本語は同一ルーツ」という説があったほどです。

文字や単語はまったく違うのですが、語順など文法的には共通するところが多く、発音も日本人にとっては体得しやすいと思いました。今まで習得した言語の中でも、トルコ語は、特に楽しみながら学ぶことができた言語です。

▼中国語——日本と文化的なつながりを感じる言語

私がYouTubeで配信した動画のひとつが台湾でバズり、台湾の視聴者が一気に増えたことを機に中国語を学び始めました。

YouTubeチャンネルで配信動画がバズった折、現地に招いてくださった、台湾の企業の方々と共に

中国語には、単語の意味によって声のトーンを変える「声調」という発音体系があります。「（一声）音を発してから伸ばす（mā）」「（二声）音を発してから上げる（má）」「（三声）音を発してから少し下げて上げる（mǎ）」「（四声）音を発してから下げる（mà）」の4種類があることから「四声」と呼ばれます（厳密には「半三声」もあります）。

たとえば、「ma」を一声で発音すると「お母さん」、二声で発音すると「麻」、三声で発音すると「馬」、四声で発音すると「罵（ののしる）」の意に

中国語は4種類の声調をもつ

なるという具合に、声調によってまったく違う意味になるのです。

この使い分けが一見、簡単なようで非常に難しく、「中国語は難しい」と言われる要因のひとつとなっています。

一方、**日本語を母語とする身として培ってきた漢字の知識は、中国語の学習の助けとなりました。**中国語を学んだことは、中国語圏と日本の文化的なつながりを改めて感じると共に、中国語圏の国々の魅力をより深く理解する機会になったと感じています。

タイ語は、「微笑みの国」を体現した、優しいイントネーションと可愛い文字をもつ言語

▼タイ語——「微笑みの国」を体現した言語

タイはアジアの中でもトップクラスの人気を誇る観光大国です。

人々の温かさと優しさは、「微笑み(ほほえ)の国」の異名にも表れているとおり、タイという国を象徴するものといっていいでしょう。これに加えて、タイの可愛(かわい)い文字や優しいイントネーションにも惹かれました。

タイ語にも、中国語と同様に「声調」があります。中国語で「四声」を習得した勢いで、タイ語の声調もマスターしたいという考えもありました。

韓国語と日本語には単語や発音がよく似たものがある

実際にはタイ語の声調は5種類あり、中国語の四声以上に習得に時間がかかりました。いや、正直にいうと、まだ習得できたとはいえないでしょう。

それでも、タイの人たちと話してみると、拙いながらも私がタイ語を話そうとしていることを喜んでくれている様子が伝わってくるのです。それがモチベーションの維持、向上につながりました。

▼韓国語——日本語と共通点が多い言語

子どものころに韓国ドラマを観ましたし、

中学生のころにはよくK－POPを聴いていたので、私にとって、韓国語は馴染み深い言語でした。さらに、K－POPや韓国ドラマの世界的ヒットの影響からか、今、世界中で韓国語を学ぶ人が急増しています。

韓国語は日本語を母語とする私にとって最も学びやすい言語でした。**文法は日本語とほぼ同じですし、単語も漢字語は発音が似ているものが数多くあります。**学べば学ぶほど「こういう言い回しも同じなんだ」と興味深い発見が多く、すごく楽しみながら学んでいます。

先日韓国に行った際は、流暢に日本語を話す韓国の人にたくさん会い、彼らと楽しく言語交換（言語を学びたい人同士で、「知っている言語」を教え合うこと）をすることができました。今までは字幕をひたすら追っていた韓国ドラマを、字幕に頼らずに観ることができるのも感慨深いです。

韓国にある「日本語 Bar」にて、言語交換をした方々と。想像以上に多い、現地の日本語話者に驚く

▼外国語学習はとても楽しい

今までは、遥(はる)かなる海外への憧れにより、日本から遠く離れた国々の言語を中心に学んできました。しかし近年では、近隣国の言語を習得したいという気持ちが徐々に強くなってきています。

さて、本項で述べてきた10ヵ国語に、最初に習得したスペイン語、その中で学び直した英語を加えた合計12ヵ国語が、現在、私が習得している言語です。

この数だけを聞くと途方もないことのように思えるかもしれませんが、**私には、何も外国語を人一倍早く習得できる特殊能力があるわけではありません。**

実は習得言語が増えるにつれて、新しい言語の習得は楽に、早くなっていきます。

1つめの言語は少し苦労するかもしれませんが、2言語め、3言語め……と習得するうちに、普遍的な「言語習得の勘所」をつかんだような感じになって、新たな言語をよりスムーズに習得できるようになっていくのです。

本書では、私の考える最も効率的な外国語習得法を紹介すると同時に、外国語を習得する意義や楽しみについても語り、みなさんをポリグロット（多言語話者）への道に誘（いざな）いたいとも考えています。

▼なぜ、その言語を学びたいのか？

言語に対する興味。そして世界中の人々と話したいという願い——この2つが、私が外国語を学び続ける大きなモチベーションになっています。なぜ、ほんの5年で12ヵ国語も習得できたのかと問われれば、自分の中にこの2本の柱が常にあったからだと答えるでしょう。

言語習得のためには「目的意識」が欠かせません。

「何のために、その言語を学びたいのか」がはっきりしていると、「習得した暁（あかつき）には、その目的を達成している」という自分の未来像も明確になり、それが、壁にぶつかっても学び続けるモチベーションにつながります。

私の場合は言語そのものへの関心や、その言語が話されている国の人々や歴史・文化への関心をきっかけとして、その国の人たちと話せるようになりたい、友だちになりたいという一心で、今までさまざまな言語を学んできました。

目的によって、達成すべきレベルも、かけるべき時間も変わってきます。

その国の人たちと話してみたい、その国の映画や音楽、小説などを楽しみたいという話であれば、目指したいのは「日常会話が問題なくできるレベル」であり、比較的短期間で習得できるでしょう。

一方、ネイティブとさまざまなテーマで議論できるようになりたい、言語力を仕事に活かしたいとなると、もっと上のレベルを目指す必要があります。故に、必然的に習得までの時間も長くなります。

さて、みなさんは、何を思って本書を手に取ってくださったのでしょうか。

学びたい言語がすでにある人。そこに明確な目的意識もある人。私と同じように、外国語学習を通じて世界への扉を開き、世界中の人たちと友だちになりたい人。ある国の文化を、日本語訳を介さず原語で味わってみたい人。仕事の幅を広げるために外国語を学びたい人。あるいは、まだ具体的に何語を学ぶか決めていないけれども、外国語を習得することに興味がある人――。

さまざまだと思いますが、**いざ学び始めるときまでには「何のために、その言語を学びたいのか」を明確にしておくといい**でしょう。「○○をしたいから」というのが具体的であればあるほどいいと思います。

何も定めないままでは、暗闇に向かって一歩を踏み出すようなものです。

いったい自分はどこに向かいたいのか。そのために何をしたらいいのか。時間はどれくらいかかりそうか。こうした手がかりを灯(とも)して外国語習得の道へと踏み出すことが、継続につながります。

外国語を学ぶと、人生が豊かになる

▼「翻訳ツール」ではダメな理由

今は翻訳ツールがかなり発達してきています。生成AIの登場もあり、近い将来、通訳や翻訳の仕事はなくなるのではないかとも言われています。そんな中、なぜ私が外国語を学び続けるのかと不思議に思う人もいるかもしれません。

外国語を学べば学ぶほど、「努力してきて本当によかったな」と思うことがあります。

それは、**相手の母語で話すと、言語の壁を一瞬で乗り越えて一気に打ち解けてしま**

言語の「壁」を乗り越えるには……

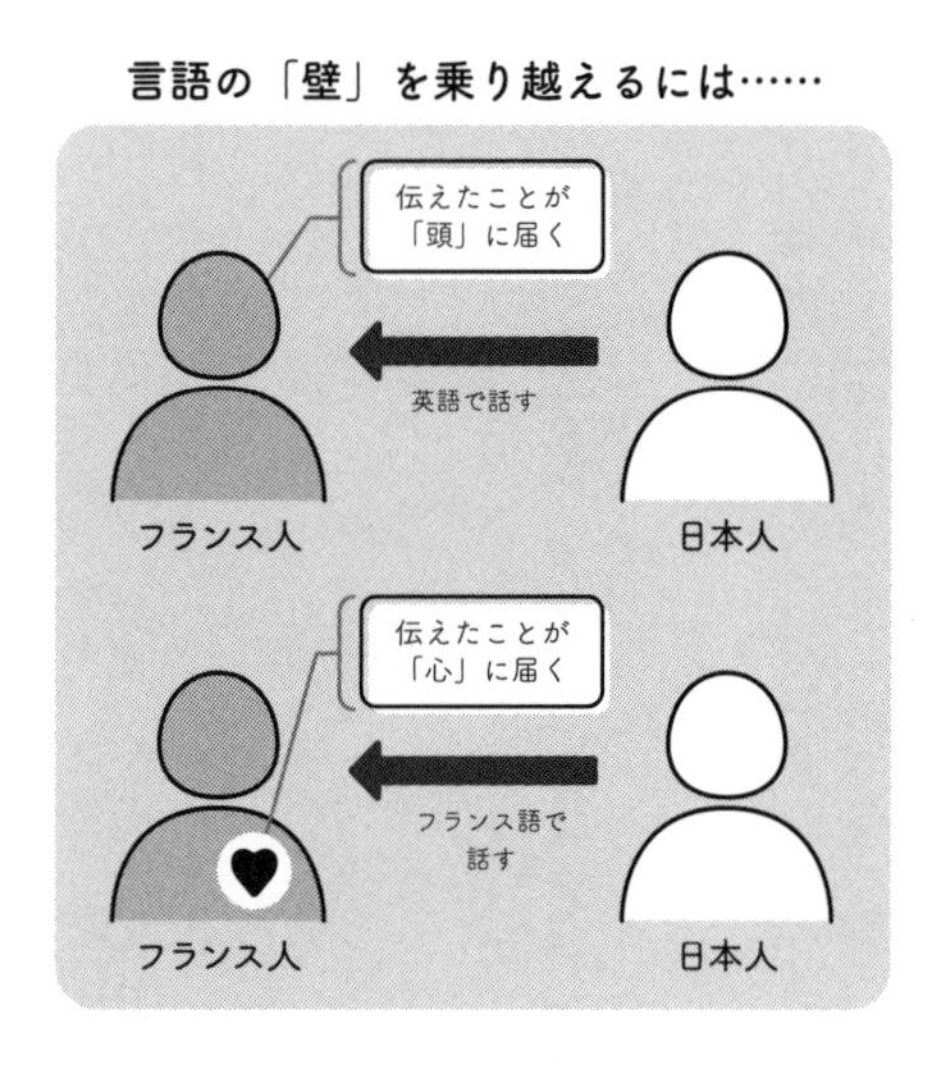

うことです。かつてアパルトヘイト廃止を訴え続けた南アフリカのネルソン・マンデラ元大統領はこう言い残しました。

「相手が理解している言語で話しかければ、それは相手の頭に届く。しかし、相手の『母語』で話しかければ、それは相手の『心』にまで届く」

深い話や難しい話ができるほど語学堪能であるかどうかは、関係ありません。

たとえカタコトであっても、相手の母語で一言、二言、何かを言うだけで言葉の違いという壁が消えてしまう。これは翻訳ツールを使ってのコミュニケーションではなかなか起こらない現象ではないかと思います。

言語はコミュニケーションツールであると同時に、「文化」でもあり、人間のアイデンティティと切っても切り離せません。

おそらく相手の母語で話すこと自体が、相手の文化的背景やアイデンティティに対する敬意、「あなたとお話ししたいです。友だちになりたいです」という気持ちの表明になるのでしょう。

そして相手もその気持ちを喜んで受け止め、応えてくれようとしたときに、まるでワープしたかのように、「言語の壁を乗り越える」というプロセスを飛び越えて打ち解けてしまう、そんな印象があるのです。

翻訳ツールはたしかに便利なものに違いありません。どんな言語の話者とでも簡単に意思の疎通が図れるテクノロジーの進化はすごいことです。

それでも私は、外国語を学び、自ら話せるようになろうとすることを、今後もやめないでしょう。なぜなら、「言語の壁が溶ける感覚」を今までに何度も味わってしまったからです。

それだけではありません。**外国語学習とは、新たな世界の扉を開く冒険への第一歩です。外国語を学ぶと人生が豊かになる。人生に新たな輝きがもたらされることは間違いありません。**私は決して大げさではなく、本気でそう思っているのです。

私が外国語を学び続ける理由は、「世界中の人たちとコミュニケーションを取れるようになること」以外にもあります。ここでは、コミュニケーションという意味合い以外に、私が実感している「外国語を学ぶメリット」をお話ししておきましょう。

▼広い世界に目が開かれる

それぞれの言語の背景には、必ず、その言語を話す人々が生きてきた「歴史」、形成してきた「文化」、そして今まさに進行している「現在」があります。

そう思うと、自然と、その言語が話されている国の文化や歴史、さらには現在に対する興味が湧いてきます。

たとえば、学んでいる言語が話されている国の料理やデザートを、日本国内で食べられるお店を探して行ってみる。それだけでも私はワクワクします。

また、ネイティブとオンラインで話したり、その言語が話されている国のさまざまな情報をネットで探したり、さらにはチャンスがあれば旅してみたり……。こうして、**言語そのものだけではなく、言語を通じて見えてくる異国のあらゆる側面を知ると、そこで暮らす人々の存在が何だか身近に感じられてくる**のです。

▼毎日が楽しくなる

外国語を習得すると、各国の音楽や映画などのコンテンツを、その国の言語で楽しむことができるようになります。

もちろん勉強中の段階では日本語の訳詞や字幕をつけますが、やはり、その言語がわかるのとわからないのとでは、受け取れる情報量が格段に違ってきます。もちろん、訳詞や字幕のないコンテンツも楽しめるようになります。

こうしたメリットを先取りして、**学び始める前に、その言語の音楽や映画に触れて「これを理解したいから、学びたい」と気持ちを高めるのもいいでしょう。**

私は音楽を聴くのが大好きなので、新しい言語の学習をスタートさせる際には、たいてい、その言語が使われている国の最近のベストヒットを50曲くらい調べ、音楽アプリでプレイリストを作って聴いています。

このように現地の流行をつかんでおくと、どこかのタイミングでネイティブと話すときに話題に困らず、盛り上がりやすいというメリットもあります。

また、街中で周囲を見渡してみると、日本でも意外と外国語を多く目にすることに気付くでしょう。英語で表記された看板は珍しくありませんし、その他の言語もけっこう色々なところで使われています。

たとえば、マンションやアパートの名称で「メゾン（Maison）○○」「ハイム（Heim）○○」というのを、よく目にしませんか。「カーサ（Casa）○○」もよく見かけます。「メゾン」はフランス語、「ハイム」はドイツ語、「カーサ」はスペイン語で、いずれも

マンション、アパートの名称など、私たちの身の回りには
実は外国語が溢れている

「家」という意味です。

他にも「パティスリー（Pâtisserie）」（ケーキ屋）、「ブーランジェリー（Boulangerie）」（パン屋）、「ビストロ（Bistro）」（食堂）など、少し意識してみるとさまざまなフランス語が目に入ってきます。

スペイン語で名付けられたスペイン料理店、ドイツ語で名付けられたドイツ料理店、ロシア語で名付けられたロシア料理店を見かけたときなども、その看板は、もう単なるカタカナの羅列ではなく、ある意味合いを帯びた名称として理解できます。

また、今まで何となく使ってきた外来語の本来の意味もわかるようになります。

「アルバイト」は「働く」という意味のドイツ語ですし、「カルテ」「レントゲン」など一般人にも馴染み深い医学用語には、ドイツ語由来のものが少なくありません。

外国語を学んでいると、こうした小さな発見をすることも増えて、毎日がより楽しくなるのです。

▼得られる情報量が劇的に増える

ちなみにみなさんは、インターネット上で流れている情報のうち、英語で書かれたものと日本語で書かれたものの量的な差がどれくらいか、ご存じですか。

実は**「ネット情報の6割は英語」と言われており、日本語で書かれている情報と比べると、英語で書かれている情報は約28倍**にも上るようです。

英語話者はネットユーザー全体の約25%を占める一方、日本語話者は2・6%に留(とど)まるといわれることからも、ネット空間は「英語がわかる人ほど多くの情報を手にしやすい」世界であることが窺(うかが)い知れるでしょう。

「英語がわからない（日本語しかわからない）」というだけで、世界中に溢（あふ）れている情報へのアクセスが格段に狭くなってしまうのです。

もちろん、英語以外の言語で書かれた情報もたくさん流れています。

日本語と比べると、中国語は8倍近く、スペイン語は3倍近く、アラビア語は2倍近くの情報量と言われています。

特に中国語圏や旧ソ連諸国、アラブ諸国では、欧米とは違う主義や思想から物事を捉えている場合が多いため、中国語やロシア語、アラビア語が理解できると欧米以外の視点を得られます。

日本語訳を介さず、色々な言語で発信されたオリジナルの情報に触れることで、色々な立場に対する理解力や寛容性が身につくでしょう。

つまり、**あらゆる言語を習得することで「複眼思考」が可能になる**ということです。

理解できる言語が増えれば増えるほど、自分さえその気になれば、より多くの情報に、しかも主義や思想的な偏りなくアクセスできるようになる。それが、よりグローバルな視野、よりフラットな思考で世界の物事を見ることにつながるわけです。

世界情勢を読み解くには、言語能力以外にも政治・経済などの知識・教養が必要ですから、私も、この点においてはまだまだ学習中の身です。ただ、12ヵ国語を習得していることで多様な情報にアクセスでき、物事を俯瞰的に見られるようになってきているというのは、すでに実感しています。

こうした俯瞰性は、生まれ育った日本という国や、日本の歴史・文化、さらには日本語という言語を客観視することにもつながっています。

いくつか例を挙げると、まずトルコ語を学んでいるときに、意外にも文法が日本語と共通するところが多いことに気付いて驚きました。

一方、同じアジア圏の言語であるにもかかわらず、中国語と日本語は「漢字を使う」という点で共通しているだけで、文法はまったく違います。

日本語には婉曲表現がたくさんあるけれども、中国語にはほとんど存在しない、敬称も日本語だと細かく使い分けるのに、中国語にはおおよそ2つしかない、といった違いも興味深いところです。

また、12ヵ国語を学んできた中で、多種多様なオノマトペや敬語など日本語固有の特徴や「てにをは」などの助詞の理解も深まりました。

また、よく「複数の文字を使い分けるのは日本語だけ」と言われます。実際に12ヵ国語を習得してみると、漢字、ひらがな、カタカナを使い分ける日本語の特殊性がいっそう際立ち、改めて「よくできた言語だな」と思わされます。

このように**日本という国や日本語という言語を客観視できるようになるという意味でも、さまざまな言語を学ぶと視野が広がる**と感じているのです。

▼仕事や趣味の幅が広がる

職種によっては、さまざまな言語の習得により多様な情報にアクセスできるようになることが、仕事に直結する場合もあるでしょう。

たとえば商品開発職や企画職など、世の中に新しい価値を提供する仕事ならば、海外のトレンドをいち早く把握することが画期的なアイデアの源になるかもしれません。

あるいは、習得した言語が趣味に活きる場合も多いと思います。

前に、外国語を習得すると、その言語の音楽や映画などを楽しめるようになるといいました。音楽鑑賞や映画鑑賞を趣味とする人にとっては、外国語の習得が趣味の充実に直結するということです。

他にも、たとえば料理が趣味ならば、日本では一般的でない異国料理のレシピを、その国の言語で理解できます。その国の言語で検索しているうちに、びっくりするような秘伝のレシピに出合えるかもしれません。

あるいは読書が趣味ならば、習得した言語で書かれた文学を原語で読むことで、より深く著者の感情や思考、文章に込めた意図を理解できるはずです。

このように**「言語」という要素ひとつを補うだけで、仕事や趣味の可能性が一気に広がり、人生の充実度が増す**のです。

▼社交的になり、自信がつく

「世界中の人たちと話したい」という理由で、多くの外国語を習得しているということは、よほど話し好きなのだろう――私に対してそう感じている人もいるかもしれませんが、そんなことはありません。

むしろ、それほど外向的でないと言われる日本人の中でも、私はシャイなほうだと思います。特に子どものころは、うまく言葉が出てこなくて、人と話すのもあまり得意ではありませんでした。

でも外国語を学んでいると、そんなシャイで口下手な一面が少し緩和される気がします。「学んだことがネイティブにも通用するか」を実践で試してみたい気持ちが勝るためなのか、たくさん話せるようになるのです。

「相手はどんなフレーズで応えてくれるだろうか？」というワクワク感。そこに相手の国の歴史や

タイへ動画撮影に行った際、オンラインでの会話で仲良くなった、現地の方たちと

文化、最近の流行に対する興味も加わって、話が尽きません。

外国語を学び、ネイティブを相手に話してみることで、さまざまな世界に触れることができる。その点でも、外国語を学ぶのは本当に楽しいものだと思います。

先ほども述べましたが、簡単なフレーズを相手の母語で言うだけでも、一気に距離感が縮まる気がします。そのたびに「言語の壁がなくなると、これほど打ち解けやすいのか」と驚くと同時に、言語の不思議な力に改めて感服してしまうのです。

新たなコミュニケーションの扉が開くのは、いつだって刺激的です。さらに**「通じた」「聴き取れた」という体験は自然と自己肯定感を高め、たしかな手応えと共に学んできたことへの自信をもつことにもつながる**と感じています。

覚えた言葉を実際に使ってみる楽しみ、相手に通じたときの喜びは、きっとみなさんも同じはずです。**外国語を学んでいると、誰もがより社交的になる。もっといえば、自然と社交的になってしまう**というわけです。

外国語学習には「論理的な学び方」と「感覚的な学び方」がある

▼スペイン語学習の「失敗」から学んだこと

外国語を学習する際の心得や実践法には、さまざまなものがあります。

大きく分けると、「論理的な学び方」「感覚的な学び方」があるといえます。前者は先に徹底的に文法を学んでから会話力をつけるという学び方。後者は、フレーズや単語を覚えていく中で、自然に文法も身につけていくという学び方です。

どちらの方法を選ぶかは、個々人の好み次第だと思いますが、私の学び方は感覚的です。

というのも、学生時代の英語の授業、さらには留学前のスペイン語の勉強で先に文法を学んだことが、自分にはあまり合っていなかったと感じているからです。

スペインに留学し、現地の人たちと実際にコミュニケーションを取る中でこそ、私は、格段にスペイン語を上達させることができました。そこで次のフランス語の学習では、まず発音と一緒に実践的なフレーズから覚えていくことにしました。

もちろん文法を学ぶことも大切です。

もし、学習中の言語による大量のインプットがある状況、それこそ留学のような状態に身を置けるのであれば、意識的に文法を「学習」せずとも、自然と、ほぼ正しい文法に沿って話したり書いたりできるようになるでしょう。

しかし、日本に暮らしながら独学で外国語を習得するとなると、そうはいきません。

どこかの段階で文法をきちんと「学習」することが、その言語を効率的に習得する手助けになります。

そこで**鍵となるのが、「どの段階で文法を学習するのか？」**なのです。

▼実践から入り、「ルール」は後から覚える

言葉は、いってみれば生き物のようなものです。

そこにはマシンのような100%のルールは存在しません。基本ルールはあるもののイレギュラーな部分も多々ある。そういう性質のものを習得する際に、「先にルールを覚えてから、実践に入る」という手順を踏むのは、実は遠回りになるのではないかと思うのです。

そのため、ひとまず「どういうルールのもとで、こうなっているのか」ということはさて置き、どんどんフレーズを覚えていきます。

ある程度、フレーズが蓄積されていくと、自然と「パターン」のようなものが見えてきます。そうなってから文法に着手したほうが効率的に習得できます。

「このフレーズがこうなっているのは、こういうルールだからなのか」「でも、この場合は例外なんだな」という具合に、すでに頭に入っているフレーズと照合するかたちで、実践的に基本ルールと例外を学んでいくことができるからです。

外国語学習の進め方

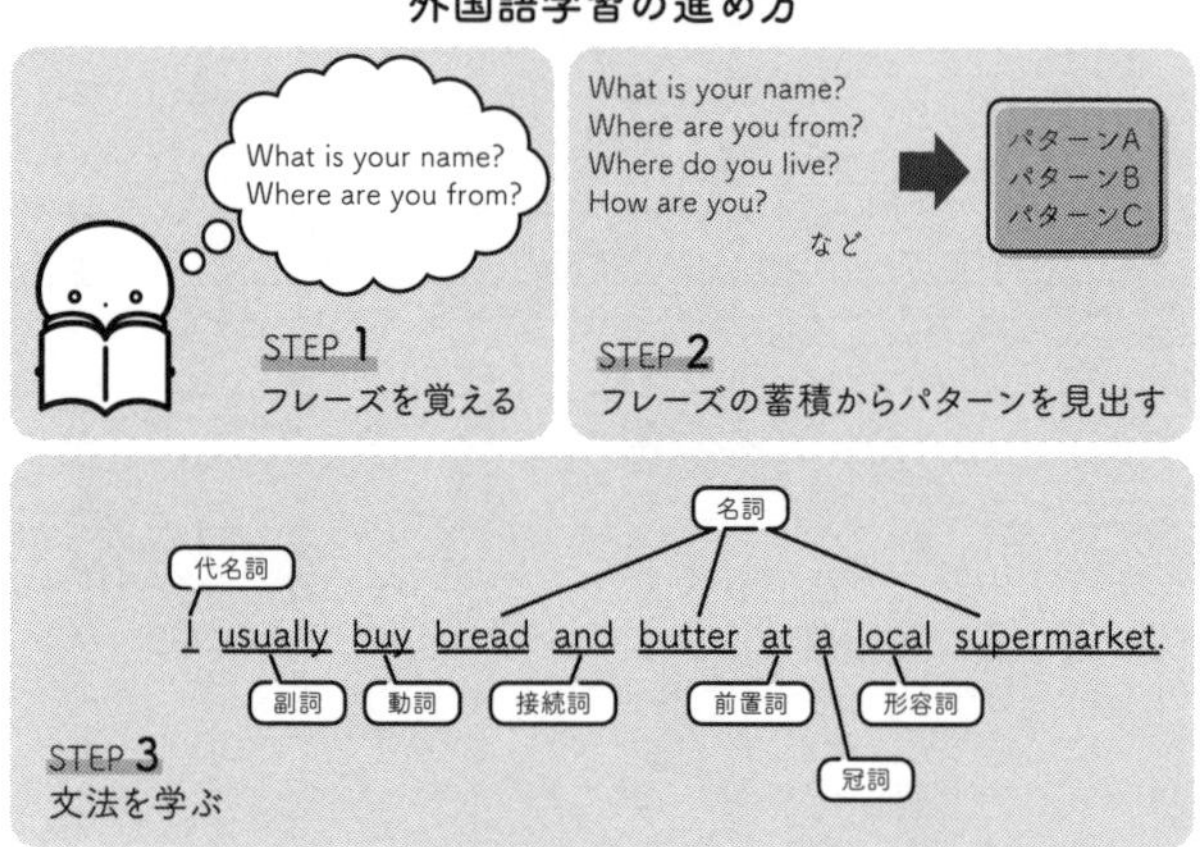

というわけで、本書では「先にしっかり文法を学び、後で会話力を身につける」という論理的な学び方ではなく、**「先にフレーズを蓄積して会話力の素地を作ってから、自然に文法を学んでいく」**という感覚的な学び方を紹介していきます。

言い換えれば、これはラフに楽しみながら言語を学習していく方法です。

外国語学習を「苦しい勉強」から「楽しい遊び」に変えていく。楽しいから続けられるし、続けられるから多くの言語を学べる。そんな楽しみに満ちた外国語学習の道のりを、ぜひ多くの人に歩んでいただけたら嬉しいです。

第2章

外国語習得がはかどる最強ツール

――デジタル時代の恩恵をフル活用する

心強い相棒になる「メインツール」

▼『ニューエクスプレス』シリーズ

本章から、いよいよ外国語学習の実践編に入ります。ノウハウは、「外国語習得のステップ」「速学と継続のコツ」「挫折を防ぐためのマインドセット」と順序立ててお話ししていきますが、その前に、おすすめの外国語学習ツールをまとめて紹介しておきましょう。

おすすめの「メインツール」

ツール名	概要	おすすめポイント
『ニューエクスプレス』シリーズ	あらゆる外国語をカバーし、初級の学習者に対応した「教科書」	「会話→その会話に登場した文法」で構成されており、文法を学びながら使えるフレーズが身につく
Pimsleur	「聴く」「理解する」「話す」に特化してトレーニングできるアプリ	1日1レッスン×約1ヵ月で外国語の音に慣れ、発音と文法を無理なく学べる
Assimil	ストーリーを読みつつ、文法や頻出フレーズを学ぶ教材	実際に起こりそうなストーリーを通してリアルな会話で役立つ「フレーズ」「文法」「発音」を同時に学べる
Anki	フラッシュカード型の外国語学習アプリ	単語やフレーズのカードを自作し、繰り返し出題してもらうことで効率的に記憶できる

新しい言語を学ぶとき、私は後述の「Pimsleur（ピンズラー）」（アプリ）と「Assimil（アシミル）」（教材）を主に使うのですが、いずれも解説言語が英語です。このように「英語で外国語を学ぶこと」にハードルを感じている人には、まず、『ニューエクスプレス』シリーズ（白水社）で学ぶことをおすすめします。

『ニューエクスプレス』シリーズは幅広い言語をカバーしており、初級者におすすめの実践的な教科書です。文法や表現を会話文で体系的に学びながら、実際の会話力を向上させることができます。また、**構成が「会話→その会話に登場した文法の解説」となっているため、すぐに使えるフレーズ**

を、**文法的な理解と共に頭に入れていくことができます**（ただし本書のメソッドでは、文法解説を読むのは後回しにします）。日本の教材の中では特に優れていると思います。

▼Pimsleur・Assimil

これらはそれぞれ別のツールですが、私がいつもセットで活用しているものなので一緒に紹介します。

まずPimsleurは、「聴く」「話す」「理解する」に特化したアプリです。1レッスン30分間×30レッスン――**1日1レッスンとすると約1ヵ月で言語の音に慣れ、発音と文法を無理なく身につけることができる優れたツール**です。

主に次のような点で、Pimsleurは、実用的な言語力を効率よく身につけられるようになっています。

・各レッスンに登場するのは、主に実用的な頻出フレーズ

・1レッスンの中で、いくつかの新しいフレーズを何度も繰り返す
・各レッスンは、前のレッスンに出てきたフレーズで構成された短い会話から始まるため、前回の復習になる

私は、新しい言語を学ぶはじめの一歩からPimsleurを使います。スペイン語、英語以外の10ヵ国語の習得を支えてくれた、まさに私にとっては欠かせないツールです。

Assimilは、ストーリーを読みながら文法や頻出フレーズを学べる教材です。1日1レッスンで、週に一度、文法の復習パートがあります。

教材といっても小難しい文法書とは違います。**現実的なシチュエーション設定のストーリーを通して数多くのフレーズに触れながら、リアルなコミュニケーションに役立つフレーズ、文法、発音を同時進行で学べる**ようになっています。

また、後半のほうのレッスンでは、前半に出てきた内容で「英語→学習中の言語」の翻訳を練習します。これは「バックトランスレーション（逆翻訳）」と呼ばれ、ライティングをはじめとしたアウトプット力の強化に役立ちます。

この2つのツールを使うのなら、先にPimsleurをひととおり完了してから、Assimilで学んでいくといいでしょう。

私の場合は、まずPimsleurで2ヵ月（30レッスン×2セット）、続いてAssimilで3ヵ月、合計約5ヵ月をかけて、新しい言語の素地を作るというのがスタンダードになっています。少々値は張りますが、何冊も学習参考書を購入したり教室に通ったりするよりも効率的かつ包括的に外国語学習を進めることができるので、選択肢の1つとして検討の余地はあるのではないかと思います。

▼Anki

Anki（アンキ）はフラッシュカード型の外国語学習アプリです。日本語対応もしています。**自分で単語やフレーズのカードを作成し、アプリに繰り返しテストを出題してもらうことで、単語やフレーズを効率的に記憶することができます。**

出題ペースなどを自分でカスタマイズできるため、個人の学習スタイルに合わせた使い方ができるという点でも優れています。

基本的な使い方は次のとおりです。

・暗記したい単語やフレーズのフラッシュカードを作る
・アプリが、作成したカードからランダムにテストを出題してくる↓回答する
・カードの難易度（もう一度／難しい／できた／簡単）を自己評価する↓難易度によって異なる間隔で再出題される

単にランダムに出題するだけでなく、簡単に正答できた問題は長い間隔で、不正解や難しかった問題は短い間隔で再出題されるという具合に、自己評価による難易度によって再出題までの間隔が違う。この機能のおかげで、より効率的に語彙やフレーズを暗記していくことができるのです（PC用、アンドロイド用、iOS用のうち、iOS用のみ有料〈2024年4月2日現在〉）。

外国語習得がはかどる「補助ツール」

本項では、外国語学習がはかどる、おすすめの「補助ツール」を紹介していきます。

▼Google 翻訳・DeepL

まず、私は紙の辞書をまったく使いません。知らない単語や意味を理解できない文章に出合ったときは、もっぱらGoogle 翻訳やDeepL（ディープエル）を使います。

Google 翻訳では調べた単語の例文も表示される上に、スピーカーのマークをクリ

おすすめの「補助ツール」

ツール名	概要	おすすめポイント
Google 翻訳	テキスト（5000文字以内）、Web ページ全体を他の言語に翻訳する機能をもつ、Googleが提供するサービス	調べた単語の例文を表示できる。また、単語の発音もチェックできる
DeepL	32の外国語に対応した高度な AI 翻訳ツール	長文の理解、文章の推敲に最適
Google 翻訳拡張機能	Google Chromeの拡張機能の1つ	Web ページ上のテキストを選択し、日本語へ翻訳することができる
Podcast	モバイルデバイスで、配信される音声や動画を視聴できるサービス	いつでもどこでも、学習中の外国語に触れることができる
LingQ	著名な多言語話者、スティーブ・カウフマンが開発した音声教材	テキストを読みながら、ネイティブの発音を真似る学習に最適
ケンドラ・ランゲージ・スクール	よく使うフレーズを紹介する世界的人気を誇る YouTube チャンネル	頻出フレーズを聴き、真似る練習におすすめ
Easy Languages	ネイティブスピーカーに街頭インタビューをする、YouTube チャンネル	ネイティブの会話を日常的に聞くことができる
Language Reactor	動画コンテンツで日本語字幕と英語字幕を同時に表示できる、Google Chromeの拡張機能	言語の字幕と日本語訳を並列で表示させたり、字幕中の知らない単語をクリックすると意味や用法がわかる。正しい発音を聞くことも可能
生成 AI	ChatGPT など、さまざまなコンテンツを生成できるAI	外国語学習の「練習相手」として最適。アイデア次第で活用法はさまざま

ックすると、その単語の発音を確認することもできます。

DeepLは32もの言語に対応している、高度なAI翻訳ツールです。**長めの文章の意味を理解したいとき、さらには自分が書いた文章を推敲したいときにも重宝しています**（推敲機能が使えるのは2024年4月2日現在、英語とドイツ語のみ）。また、翻訳の中で変更したい部分があれば、その単語をクリックすると別の表現候補が提示されます。これにより最適な翻訳を選べますし、類似表現も学ぶこともできます。

かつて紙の辞書は外国語学習の必須アイテムでしたが、デジタル翻訳ツールが発達している現在では、個人的にはあまり必要性を感じません。

少なくとも私にとっては、アルファベット順に辞書を繰って単語にたどり着くのは時間がかかります。その点、文字列を入力するだけで瞬時に意味が表示されるデジタルツールはストレスフリーで使えるのです。

また、少し変則的な使い方としては、**Google翻訳の音声認識機能をオンにして、「聴き取れなかった文章」の意味を調べることもできます。**

字幕なしの動画などでネイティブが言ったフレーズを、自分の声で再現してGoogle

翻訳の音声認識に流し込みます。すると元の言語のテキストと日本語訳が表示され、「なるほど、こう言っていたのか」と理解できます。

ただ、このような使い方はネイティブの発音を正確に再現しないと成功しません。本書で紹介する外国語習得法では、まず発音をたくさん練習するので、みなさんもきっとできるようになるでしょう。

発音の練習を積み重ねると、こんなGoogle翻訳の使い方もできるようになるという一例として紹介しました。

▼Google翻訳拡張機能

外国語のサイトを閲覧しようとすると、「翻訳しますか？」というオプションが自動的に表示されます。ここで「はい」を選ぶとサイト全体が訳されますが、これだと日本語訳しか見られないので外国語学習になりません。

では、どうするかというと、**元の言語で閲覧し、意味がわからない文章があったら**

自分でカーソルを動かしてコピーし、Google翻訳にペーストする。しかし、これはこれで何度もサイトを行き来しなくてはならず、面倒です。

外国語学習において「動線のよさ」はとても重要です。ちょっとでも面倒だと思うと、一気に億劫になってしまって手を動かさなくなり、学習が滞ってしまいます。

では、学習中の言語で書かれたサイトを閲覧しているときの「動線のよさ」とは、どのようなものでしょうか。

元の言語で閲覧しつつ、意味がわからないところだけ、その場で瞬時に日本語訳が表示されることが理想でしょう。

それを可能にしたのが、無料のGoogle翻訳拡張機能なのです。追加しておくと、**サイト中、選択した箇所だけがポップアップで日本語訳が表示されます。**

しかも、ポップアップ内の「詳細」をクリックすると、自動的にGoogle翻訳が立ち上がり、読み上げ機能で発音を確認することなどもできるという親切さです。

▼Podcast

Podcastには、外国語のレッスン的なものから、ネイティブの自然な会話を聴けるものまでさまざまなチャンネルがあります。学んでいる言語を検索窓に入力すると、それに関連するチャンネルを探すことができます。

たとえば「Español（スペイン語）」で検索すると「Español con Juan」「Español y japones con aya ～スペイン語と日本語のポッドキャスト～」などが表示されます。

現段階の自分の到達度や、その日の気分に合わせて選ぶといいでしょう。ほぼ毎日の通勤・通学の時間を「Podcastの時間」と決めれば、外国語学習がはかどります。

▼LingQ

おそらく世界一有名なポリグロット（多言語話者）で、20ヵ国語をマスターしているスティーブ・カウフマンとそのチームが開発した音声教材が、このLingQです。

初級〜上級のレベル別に、ユーザーが「関心あり」に設定したテーマの短いストーリーが提供されており、**「テキストを読みながら、ネイティブの発音を聴いて真似る」練習に最適**です。

有料コースもありますが、ストーリーを聴くだけなら無料です。ひとつのストーリーを完遂したり、新しい単語を学んだりするごとにポイントがつくゲーム性など、学習者が達成感と共に継続しやすい工夫がちりばめられています。

ただし訳文は表示されないため、その言語に初めて触れるくらいのレベルだとストーリーの概要をつかむのが難しいでしょう（単語ごとの意味は表示できます）。**頻出フレーズを覚えた後など、ある程度、その言語に慣れてきてからのリスニング・スピーキング・リーディング・語彙の強化におすすめ**です。

もしくは先に紹介したGoogle翻訳拡張機能で、一文ごとの訳文を確認するという合わせ技にすれば、学び始めの段階でも有効活用できると思います。

▼ケンドラ・ランゲージ・スクール

ケンドラ・ランゲージ・スクールは、世界中で人気のあるYouTubeチャンネルです。英語はもちろんのこと、多数の言語の頻出フレーズや単語の音声が流れ、日本語訳とともに学べます。

このチャンネルで数多くの頻出フレーズを聴き、声に出して真似すれば、先ほど紹介したPimsleurと同様の効果を得ることができます。機械音ではなく実際のネイティブの発音を聴きながら、その言語の音に慣れることができるため、おすすめです。

▼Easy Languages

さまざまな言語のネイティブに街頭インタビューをするYouTubeチャンネルです。ネイティブの自然な会話とリアルな発音を学ぶのに適しており、外国語学習者の間では最も有名なYouTubeチャンネルのひとつです。

「まだネイティブの会話を聴き取るなんて無理！」と思うかもしれませんが、**すべて聴き取れなくても、「ネイティブの会話を日常的に聴くこと」が大切**です。動画から頻出フレーズを拾い出し、一時停止して発音を真似るのも、絶大な学習効果が期待できます。また、ドラマや映画と比べ話題もシンプルなので理解しやすいものが多いです。

現地の人たちや街の様子を眺め、ちょっとした旅気分に浸るだけでも学習意欲向上につながるでしょう。YouTubeの再生速度の調整機能や、次節で紹介するLanguage Reactorを併用することで難易度を下げることもできます。

▼Language Reactor

学んでいる言語の動画コンテンツを楽しみたいけど、まだぜんぜん聴き取れない。そんなとき頼もしい味方になってくれるのがLanguage Reactorです。Googleの拡張機能からダウンロードしておくと、次のような機能を活用できます。

- Netflix や YouTube の動画上で、原語の字幕と日本語字幕が並列で表示される
- 字幕にカーソルを合わせると自動的に動画が一時停止する
- 字幕中の知らない単語をクリックすると、ポップアップで意味や用法が表示され、正しい発音が流れる
- 動画中、初めて登場する単語にはアンダーラインが引かれる

通常の字幕だと「日本語訳が読める」だけです。それが Language Reactor を使うと、**元の言語と日本語を照合し、かつ単語の意味、用法、発音まで確認しながら動画コンテンツを楽しめるようになる**のです。

巷(ちまた)でよく耳にする外国語学習法に、ドラマや映画の視聴がありますが、学習の初期段階では少しハードルが高すぎるかもしれません。学び始めの段階では、ネイティブの自然な会話がほとんど聴き取れなくて当然です。そこで、いきなり原語でドラマ等に触れてしまうと、「ぜんぜんわからない……」となって、かえって心が折れてしまう危険性があります。

ただ、これはあくまでも、初期の段階の話です。**知っているフレーズが少し増えてくると、たとえ一言、二言でもネイティブの会話が「わかった！」となるのが学習を続けるモチベーションにつながります。**

Language Reactorは、そんな「わかった！」を補助し、「楽しみながら言語を学ぶこと」を推進してくれる最強ツールなのです。

Language Reactorが対応している動画配信サービスはNetflixやYouTube等、コンテンツ量は豊富です。

特にYouTubeは、地球上に存在するすべての言語のコンテンツがあるといっても過言ではないくらい多様なので、ぜひLanguage Reactorを使ってネイティブの生の会話に触れてみてください。

▼生成ＡＩ

２０２３年にリリースされるや否や爆発的に普及したChatGPTも、今後は外国語学習の強い味方になってくれると思います。アイデア次第で色々と使えると思いますが、基本的なところでは次のような活用法が考えられるでしょう。

- 覚えたばかりの単語を使った実用的なフレーズを列挙してもらう
- 自分が書いた文章の文法的な誤りを指摘、修正してもらう
- 「友だち」という設定を伝えて、「こちらが間違えたら直して」と指示し、学習中の言語でチャットしてもらう

また、ELSA SpeakなどのＡＩに自分の発音をチェック、修正してもらうようにすれば、発音の練習にも役立ちます。**生成ＡＩも間違えることがあるので100％信用するのは危険ですが、外国語学習の「練習相手」としては優秀なツール**です。

会話力を伸ばす「コミュニケーションツール」

本項では、会話力を鍛えるのに有効なツールを紹介していきます。

本当に使える表現や正しい発音は、ネイティブに学ぶのが一番の近道です。そこでオンラインでネイティブと話す機会をもてるツールを3つほど、紹介しておきましょう。

▼italki

おすすめの「コミュニケーションツール」

ツール名	概要	おすすめポイント
italki	ネイティブとオンラインで会話できるプラットフォーム	ネイティブと実際に会話し、レベルアップできる
HelloTalk	ネイティブとやりとりができる言語交換アプリ	会話中で単語や文法を間違えたとき、相手がどこを指摘してくれたかわかる「訂正機能」がある
Tandem		

italki（アイトーキー）は、オンラインでネイティブと会話できるプラットフォームです。**言語交換をしたり、個別のレッスンを受けたりすることで、実際のコミュニケーション力を向上させることができます。**ネイティブから正しい発音や、日常会話で使える生きたフレーズを学べるのも大きなメリットです。

こうした言語交換アプリは他にもあるのですが、italkiは料金が比較的リーズナブル（言語交換の場合は無料）という点でもおすすめです。

▼HelloTalk・Tandem

どちらもオンライン言語交換アプリです。有料会員の特典は、翻訳など一部の機能の利用回数が無制限になることくらいなので、無料会員として利用するかたちで十分でしょう。

HelloTalk（ハロートーク）もTandem（タンデム）も利用者数が多いため、比較的すぐにネイティブとつながることができます。プロフィール欄の自己紹介を詳しく書いて充実させると、さらに向こうから話しかけてもらいやすくなるでしょう。

また、**会話中に単語や文法を間違えたときに、相手がどこをどう訂正してくれたのかが一目でわかる「訂正機能」も、これらのアプリの利点**です。

逆に、会話している相手が日本語を間違えたときには、積極的に訂正してあげることも大切です。

こうして助け合うことで信頼関係を深め、互いの語学力の向上に寄与していくというのが言語交換アプリの醍醐味（だいごみ）です。

自分にぴったりのツールの見極め方

▼実用的なフレーズを体得できるか

外国語学習のためのオンラインツールやスマホアプリは、現在も数多くありますし、これからもどんどん新しいものが出てくるでしょう。

補助ツールはともかく、メインツールの選択を誤ると、外国語習得の挫折につながりかねません。そこで、本当に役立つメインツールの見極め方を2点、お伝えしておきたいと思います。

まず重要なのは、「すぐにネイティブ相手に使ってみたいと思える実用的なフレーズが学べること」です。

学んだことが、早速、実践の場で活きるのは何事においても嬉しいものだと思います。

外国語学習も例外ではありません。「今日覚えたフレーズを、今度、言語交換アプリで使ってみよう」と思ったり、そのフレーズを旅行先で言っている自分のイメージが湧いたりするとワクワクします。

その点でも、やはり先ほど紹介したPimsleurや、ケンドラ・ランゲージ・スクールは優れていると思います。

逆に、使っていく中で「こんなフレーズ、いつ使うんだろう?」「ひたすら単語ばかり覚えさせられて、ぜんぜん話せるようになる気がしない」と思ってしまうようなツールは学習効果が低く、モチベーション低下にもつながってしまうので、注意が必要です。

▼「聴く」「話す」「読む」を1つのツールで網羅できるか

そして**もうひとつは、「なるべくリスニング、スピーキング、リーディングを1つのツールで学べること」です。**

リスニングとスピーキングは「耳で聴いたことを、真似して発声する」ことで一緒に訓練することが可能です。その延長で「音読の際に画面に表示された文章を読んで理解する＝リーディング」も合わせて訓練できれば理想的です。

ライティングの訓練だけは、「自分で文章を組み立てる」という点で少し毛色が違うのですが、それ以外の3つの能力は、1つのツールで一緒に鍛えることができるはずなのです。

リスニングにはこのツール、リーディングにはこのツールと、鍛えたい能力ごとにツールを使い分けるのは、想像しただけで面倒ではないでしょうか。

外国語学習において、教材の選択は非常に重要です。本章で紹介したツールは、もちろん自信をもっておすすめしていますが、あくまで私の個人的な選択であり、みなさんのニーズに合わない場合もあるかもしれない、ということは念頭に置いてくださ
い。

他にもさまざまな教材が豊富にあるので、以上の2点を参考に、自身の学習スタイルや目標に合った教材を探してみてください。

第3章

最も効率的な外国語習得のステップ

――「聞く・話す」「読む・書く」を速学する

1言語の習得に、どれくらいの時間が必要か

▼日常会話は半年〜1年

「たった3ヵ月で流暢に話せる！」といった語学教材の宣伝文句を目にすることがあります。しかし、よほどの語学の才能の持ち主でない限り、そんな短期間で流暢に話せるようになるのは難しいでしょう。

「0から1」への変化は実感しやすいため、学び始めのころは、頻出単語や頻出フレーズを覚えることで短期間のうちに上達を感じるものです。

ただ、そこからネイティブ並みに幅広いトピックについて話せるレベルにまで上達するには、登場頻度の低い単語や難しい単語も頭に入れておく必要があります。こうした単語は、難しかったり、会話にあまり出てこなかったりするために覚えづらく、その言語に日々触れ、積極的に学び続けなくては身につけられません。

つまり上級レベルに到達するには、ある程度、長期にわたる学習が必要なのです。

ひとつの言語を習得するのに、どれくらいの時間がかかるのか？

いったいどれくらいのレベルを「習得した」と言っているのか？

私が12ヵ国語を習得していると聞いて、そんな疑問が頭に浮かんでいる人も多いのではないでしょうか。

まず先に「レベル」についてですが、言語によって差はあるものの、12ヵ国語すべてにおいて、「日常会話に支障のないレベル」には達しています。最初に習得したスペイン語、次に習得したフランス語などは、もう少し踏み込んだトピックについて話すことができます。

では改めて、ひとつの言語を習得するのに、どれくらいの時間がかかるのか。

言語ごとの難易度にもよりますが、**基本的には日常会話レベル——たとえば「ネイティブとコミュニケーションを取りたい」「映画を字幕に頼らず原語で楽しみたい」といった目標であれば、半年〜1年**で習得できるでしょう。

先ほど述べたように「たったの3ヵ月で流暢に話せる」というのは難しいのですが、何年もかけなくては習得できない、というわけではないのです。

何より、今まさに「外国語を学んでみたい」と思っているのなら、「どれくらいかかるんだろう」と考えている時間がもったいないと思います。

どの程度のレベルを目指すのかは後で決めてもいいのですから、今すぐ、とにかく学び始めることをおすすめします。

▼「赤ちゃんが母語を習得する」方法で学ぶ

本章では私が実践している言語習得のステップを紹介していきますが、**重要なポイ**

ントは「赤ちゃんが母語を学ぶ過程」と同じように学んでいくことです。

赤ちゃんは母語を身につける際、まず親など周囲の人たちが発している言葉を真似します。最初は意味などはわかりませんが、さまざまな言葉を真似して発しながら「この言葉は、こういうときに使うようだ」と理解を深めていきます。

こうして徐々に周囲とコミュニケーションを取れるようになっていくのです。

言語を「学問」として学ぶ場合は、また別の有効なアプローチがあるのでしょう。

しかし本書で紹介するのは、あくまでも「コミュニケーションツールとしての言語」を習得する方法です。それには、「赤ちゃんが周囲とコミュニケーションを取るために言葉を学んでいく過程」に倣(なら)うのが理想的というわけです。

脳が未発達な赤ちゃんが母語を学ぶ過程を、すでに脳が成熟しきっている大人が、今さらたどることなど可能なのだろうかと訝(いぶか)しく思ったでしょうか。

たしかに、私は脳科学者でも言語学者でもないので、学術的なことは言えません。

ただ、実体験から**「大人の言語習得の最も効率的な順序は、実は赤ちゃんが母語を学ぶ過程と同じなのではないか」**と考えているのです。

言語学習のステップ①：ネイティブの発音を真似る

▼「聞く・話す」から始めるべき理由

本書で紹介する言語習得のメソッドは、大きく①「ネイティブの発音を真似る」②「実践的な文法を学ぶ」の2ステップに分かれています。

最初に「文法と多少の単語」を学んでから会話力を身につけていくのではなく、まず「実践的なフレーズを、ネイティブの発音を真似して声に出す」というのを、徹底的に積み重ねます（ステップ①）。

そこでフレーズを頭の中にストックしつつ、リスニングとスピーキングの素地を作ってから、文法を学んでいく（ステップ②）という順序です。

ステップ①でリスニングとスピーキングの素地を作るといっても、まだ文法的な知識はゼロですから、ただひたすらネイティブの発音を聴いたまま声に出してみるだけです。

文法という論理的な裏付けのない状態で、その言語の発音に慣れながら「聞く・話す」の感覚を身につける。まずそこから始めるという意味で、この外国語学習法を私は「感覚的な学び方」と呼んでいるのです。

リーディングとライティングの素地は、主にステップ②で作られます。

便宜上「ステップ」とは呼んでいますが、リスニング、スピーキング、リーディング、ライティングの4能力をひとつずつ完結させていくのではありません。**ステップ①とステップ②でひととおり素地を作ったら、後は同時進行ですべての力の精度を徐々に高めていく**イメージです。

▼「実用的なフレーズ」をストックする、「正しい発音」を身につける

ステップ①には、主に2つの目的があります。

ひとつは、**そのままネイティブに対して使える「実用的なフレーズのストック」を作ること**です。

コミュニケーションツールとしての言語を学んでいるときに、最も手応えを感じるのは、覚えたことがネイティブとのコミュニケーションで活きたとき、あるいは「こんなときに使えそうだな」というイメージが湧いたときでしょう。

たとえ、まだ文法をまったく知らない段階であったとしても、ネイティブが普段使っているフレーズをスラスラと言うことができれば、コミュニケーションは成立してしまいます。

もちろん、本当に自在な語学力を身につけるには文法の知識が不可欠です。しかし初期段階では、そのまま使えるフレーズのストックを作ったほうが実践的であり、な

おかつ実践的な手応えにより意欲を保ちやすいのです。

もうひとつの目的は、**ネイティブの発音をひたすら真似ることで、学び始めの段階からしっかりとした発音を身につけること**です。

最初に、ある程度、正確な発音を身につけてしまうと、その後の学習をかなりスムーズに進めることができます。

繰り返しになりますが、本書では「コミュニケーションツールとしての言語」を習得することを目指しています。にもかかわらず、文法知識で頭をいっぱいにして、いざネイティブと話してみようと思ったところで発音につまずいてしまったら、もどかしい思いをしてしまうでしょう。

だからこそ、ごく初期の段階で、実用的なフレーズと一緒に発音も身につけておいたほうがいいのです。完璧でなくても、その言語の音の特徴をつかみ、「こんな感じで発音する」という感覚を得るだけでも十分です。

▼最速で学べる最強コンビは「デジタル学習ツール＋録音」

言語を学び始めたばかりの段階は、まさに赤ちゃんのように繊細な状態といえます。その言語について何も知らない状態なので、最初は意欲が高くても、頑張って一気に学ぼうとすると途中で息切れしてしまい、意欲が急降下する危険性があります。

したがって、ステップ①で一番大切なのは、無理なく継続すること。私がいつも実践しているのは「深く考えすぎずに、ネイティブが発するフレーズをたくさん聴いて、ひたすら真似する」という方法です。

いきなり「ネイティブの発音を真似する」と聞いて、ちょっと怯んでしまった人もいるかもしれません。聴き取る力に自信がない人ほど心理的なハードルを感じてしまうと思いますが、安心してください。

自分が正確に発音できる音は、正確に聴き取れるものです。つまり、**「耳を鍛えるこ**

と」と「正しく発音できるよう訓練すること」はセットです。

私はネイティブと話しているときに、「すごく発音がいいね！」と言っていただけることがあるのですが、最初から耳がよかったわけではありません。

「ネイティブの発音を聴いては再現しようと試みる」というのを繰り返すうちにだんだんと聴き取れるようになり、その音を出すときの唇・舌の形や位置、喉の使い方などのイメージと共に、ほぼ正確に再現する力もついてきました。

聴き取る力や、聴いた音を再現する力は生まれつきのものではなく、徐々にコツをつかみ、鍛えることができるというのが私の経験上の実感です。

まず自分なりに「こう発音するとネイティブの発音に近くなるかな」という感じで、気軽に続けてみてください。

自分が発音できる音は、きちんと聴き取ることができます。

つまり、まず注意深く聴いて、うまく発音できるようになってくると、リスニングも向上します。そしてリスニングが向上すれば、さらにきちんとネイティブの発音を聴き取れることで、よりいっそう発音が向上するという好循環が起こるのです。

そんな好循環を起こしていくためにも、ここで使うのは、「実用的なフレーズをたくさん、ネイティブの発音で聴けるデジタルツール」がいいでしょう。

ご自身で使い勝手のいいものを探していただいてもいいのですが、私のおすすめは第2章（73ページ）で紹介したPimsleurです。

Pimsleurは、ポール・ピンズラーというアメリカの応用言語学者が確立した「ピンズラー・メソッド」を踏襲したアプリです。平易なフレーズを何度も繰り返しながら、少しずつフレーズのストックを増やしていきます。

学術的な根拠があるという点でも信頼できますし、何より、私自身が実際に使ってきて最も効果を感じているツールであるというのが、おすすめしたい一番の理由です。

さて、フレーズを真似する際、自分の発音が正確かどうかを知る必要がありますよね。Pimsleurでは発音をチェックしてくれる簡易的な機能があるものの、精度はわかりません。

語学系のYouTubeチャンネルなどで学習する場合も、同様の壁に直面します。

発音チェックに協力してくれるネイティブが周りにいればベストなのですが、独学では、それもなかなか難しいでしょう。

そこで併用をおすすめしたいのが、スマホやタブレットの録音機能です。ネイティブに倣って発音しているところを録音し、後からネイティブの発音と録音を聴き比べてみます。すると、うまく発音できていないところを自覚しやすくなり、より素早く的確な改善につなげることができるのです。

ゆくゆくは実際にネイティブと話してみる段階へと進みますが、そこでも、なるべく会話を録音・録画して聴き返すことをおすすめします。発音は「外国語学習の永遠のテーマ」と言ってもいいくらい、聴き返すたびに新たな発見があるものだからです。

▼ステップ①を加速させるコツ

また、最近はYouTubeやPodcastなどで、ネイティブの会話を聴けるチャンネルが無数にあります。

おすすめの「YouTube チャンネル」

外国語	チャンネル名	URL
スペイン語	Spanish After Hours	https://www.youtube.com/@spanishafterhours
フランス語	Piece of French	https://www.youtube.com/@pieceoffrench
	innerFrench	https://www.youtube.com/@innerFrench
ブラジルポルトガル語	Speaking Brazilian Language School	https://www.youtube.com/@SpeakingBrazilian
ロシア語	Russian With Max	https://www.youtube.com/@RussianWithMax
ドイツ語	Deutsch lernen mit der DW	https://www.youtube.com/@dwlearngerman
トルコ語	Turkishle	https://www.youtube.com/@Turkishle
アラビア語	Learn Arabic with Khasu	https://www.youtube.com/@LearnArabicKhasu
タイ語	Beam Sensei	https://www.youtube.com/@BeamSensei
中国語	びびさんのポスト	https://www.youtube.com/@user-sq4ih2uq9w
韓国語	Didi の韓国語 Podcast	https://www.youtube.com/@didikoreanpodcast

Pimsleur などの**メインツールで「ネイティブの発音を聴いて、真似する」という練習に慣れてきたら、ステップ①を加速するために、他のツールを取り入れるのもいいでしょう。**ここで、ケンドラ・ランゲージ・スクール以外にも、私が習得した言語ごとに、いくつかおすすめのYouTube チャンネルも紹介しておきます（上表参照）。

これらのチャンネルは外国語学習者向けではあるのですが、堅苦しい「授業」という感じではありません。ネイティブの自然な会話を通じて、楽しく学ぶことができます。

発音は主に、唇の形、舌の形、舌の位置で作られる。
ネイティブの口元に注目しよう

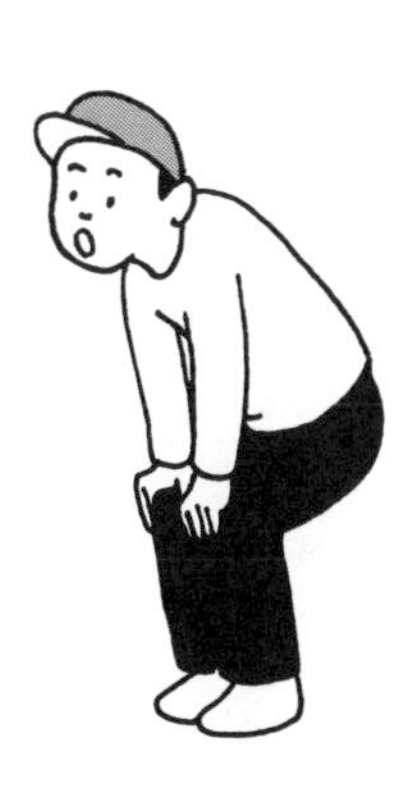

▼ネイティブの「口元」「トーン」に注目する

発音は主に唇の形、舌の形、舌の位置で作られます。ネイティブの発音を真似するときは、**「この音を出すには、唇をどんな形にしたらいいだろうか。舌はどんな形で、どこに舌を置けばいいだろうか」と意識してください。**

動画コンテンツなどで学ぶ場合は、フレーズを言っているネイティブの口元にも注目すると、より発音のコツがつかみやすいでしょう。

意外なところでは、**ネイティブの声の「トーン（高さ）」にも要注目**です。

これは12ヵ国語を習得して気付いたことなのですが、言語によって発声のトーンが異なるのです。英語、フランス語、ロシア語、ドイツ語は低めのトーン、スペイン語、タイ語、中国語は高めのトーンで発音したほうがしっくりきます。ちなみに、他の言語と比べると日本語はかなり高めのトーンという印象です。

音声教材を使って発音を練習する際には、声のトーンも含めて忠実に真似るようにすると、より早く正しい発音が身につきやすいと思います。

▼「単語」ではなく「フレーズ」で覚える

ステップ①のポイントは、すでに述べたように「ひたすらネイティブが日常会話で使うフレーズを聴いて、発音を真似すること」。

こうして正しい発音を身につけると共に「すぐに使えるフレーズ」を自分の中にストックしていくことも目的のひとつです。

つまり、「単語を単体で、機械的に覚えていくのではない」ということも、ここでしっかり頭に入れておいてください。あくまでもフレーズごと覚えていくことが、次のステップ②以降で効いてくるのです。

そもそも**「単語の集合体」であるフレーズを覚えれば、最低限の基本的な語彙は自ずと身につきます。**

より多岐にわたるフレーズを聴き取り、話せるようになるには語彙力の強化も欠かせません。しかし単語帳などで機械的に語彙を増やしても、「どんな場面で使えるのか」がわからなければ、覚えても意味がありません。

また、主語や時制などによって動詞が何とおりにも変化する言語がほとんどです。そこで動詞の原形だけをたくさん覚えても、実用の場面では柔軟に活用することができません。

こうした失敗は、実はすべて私の実体験なのです。

まだ自分なりの外国語学習法が確立されていなかったころ、受験勉強の要領で、ひたすら単語帳を繰って英単語を覚えました。

せめて単語に併記されている例文を見ていればよかったのですが、そこには目もくれなかったせいで「使い道のわからない単語の知識」が蓄積されてしまいました。

結果として、たくさん単語は知っているのにネイティブの言葉を聴き取れない、自分から話そうと思っても、使うべき単語が思い浮かばないという状態に陥ってしまったのです。

たくさん単語を覚えたのは、長い目で見れば無駄ではなかったと思います。ただ、ずいぶんと遠回りをしてしまったことは確実でしょう。

また、日本でスペイン語を勉強していたころ、リスニングとスピーキングの練習が圧倒的に足りていなかったために、ほとんど聴き取れない、ほとんど話せないという状態に陥ってしまった反省も、ここに活かされています。

特に学び始めの段階で重要なのは、「どれだけ多くの単語を知っているか」ではなく、「基礎的な単語が、実際に話す場面で瞬時に思い浮かぶかどうか」です。

まだまだ語彙数は少なくても、実用的なフレーズと一緒に基礎単語をストックしておくことで、早い段階からネイティブとのコミュニケーションを楽しめるようになるでしょう。

より深いコミュニケーションができるようになるために語彙を増やすのは、もう少し後の段階でも遅くはありません。

▼覚えておきたいおすすめフレーズ30

せっかくたくさん勉強してきたのに、いざネイティブと話す機会を得たときに、ぜんぜん話せない——これはきっと、外国語学習で挫折を感じるシチュエーションのトップ3に入ると思います。まず英語で、この感覚を味わったという人も多いのではないでしょうか。

なぜそうなってしまうのかというと、おそらく一番は「スピーキングを練習する機会」に恵まれていないためです。言ってしまえば当たり前なのですが、スピーキングは、実際に話すことでしか鍛えられません。

いわば、スポーツと同じです。たとえばハウツー本で「クロールのコツ」について読んだだけでは、クロールをできるようになりません。ひたすらプールでバタ足練習をしてこそ、習得できます。

それと同様に、ネイティブと円滑にコミュニケーションできる力は、実際に話すことでこそ鍛えられます。場数を踏み、「話す経験」を積み重ねることが必要不可欠なのです。

ですから、**自分ひとりで反復練習をするだけでなく、ゆくゆくは、ぜひネイティブと話す機会を積極的に作っていってください。**

そこで「話せた！」「伝わった！」「わかった！」という手応えを感じるためにも、まずステップ①の「ひたすらネイティブが言うフレーズを聴いて、発音を真似すること」を積み重ねよう、ということです。

ここでの目的は先ほども言ったとおり、すぐに使える実用的なフレーズのストックを作ることと、しっかりした発音を身につけることです。

言語は「音の組み合わせ」です。何度もフレーズを聴き、発音を真似て声に出して

Kazuがすすめる覚えるべきフレーズ30

① お名前は何ですか？
② 出身地はどこですか？
③ どこに住んでいますか？
④ 元気ですか？
⑤ あなたはどうですか？
⑥ はじめまして
⑦ 何をしていますか？
⑧ ○○語を話しますか？
⑨ なぜ○○語を勉強していますか？
⑩ なぜなら○○だからです
⑪ どれくらい○○語を学んでいますか？
⑫ 趣味は何ですか？
⑬ ○○したことはありますか？
⑭ ○○してもいいですか？
⑮ いつ○○しましたか？
⑯ ○○が好きですか？
⑰ ○○はどういう意味ですか？
⑱ ○○ができますか？
⑲ ○○がありますか？
⑳ もう一度言ってください
㉑ ○○はいくらですか？
㉒ ○○に行きたいです
㉓ ○○まではどうやって行きますか？
㉔ どの○○ですか？
㉕ あの方はどなたですか？
㉖ 何時ですか？
㉗ おすすめの料理は何ですか？
㉘ これをください
㉙ お会計をお願いします
㉚ ○○していただけますか？

いるうちに、自然と、その言語の音が頭に刷り込まれていきます。何度も繰り返し聴き、声に出すという反復練習をしていきましょう。

ツールによって練習するフレーズは違いますが、前ページの一覧表に掲載されているフレーズは、私の経験上、まず覚えておくといい頻出フレーズです。友だちを作るフレーズや現地に滞在中のフレーズを中心にまとめています。

長くなってしまうためここでは主に質問を載せていますが、それに対する自分の答えもセットで覚えてください。

5W1Hなどの文法の大事な要素を自然におさらいできるようなフレーズを作りました。最低でも、**この30フレーズをスラスラと言えるようになったら、基礎固めはとりあえず完了**と見なしていいでしょう。

言語学習のステップ②：実践的な文法を学ぶ

▼会話文でリーディングを鍛える

ステップ①の反復練習で頻出フレーズがスラスラ出てくるようになったら、ステップ②に進むタイミングです。リーディングとライティングの練習を並行して進めていくと、相乗効果でいっそう言語習得がはかどります。

つまり**「ステップ②に進む段階になったらステップ①はおしまい」ではなく、ステップ①は継続しつつ、ステップ②を取り入れる**ということです。

たとえば「Pimsleurや、ケンドラ・ランゲージ・スクールをひととおり終えた」、あるいは「頻出フレーズをスラスラ言えるようになった」としましょう。そうしたらネイティブの会話が聴けるYouTubeチャンネルなどに練習の場を広げ、さらにフレーズを覚えつつ発音を磨いていく。そこにステップ②を並行させていきます。

もちろん、忙しい日々の中で外国語学習に充てられる時間には限りがあるでしょうから、何をどれだけ練習するかの時間配分は各々で調節していただければと思います。ただ、ステップ①の「聴いて、発音する」という練習は必ず継続してください。

さてステップ②では、実践的な文法を学んでいきます。

まずリーディングから始めるのですが、それには物語や会話文が多く載っている教材が最適です。**ネイティブの発音を聴きながらスクリプト（物語や会話のテキスト）を音読できるよう、「音声教材がついているもの」を選んでください。**

私も、いつもCDつきの教材を購入し、教材のスクリプトを読みながらCDの音声と同時に音読する「オーバーラッピング」をしています。

オーバーラッピングは、テキストを読みながら音読することで、リーディング、リスニング、スピーキングを同時に鍛えることができる効率的な学習法です。私自身、非常に学習効果が高いと感じています。

ここで使う教材としては、Assimilをおすすめします。CDつきで、1レッスンあたり1分ほどの短い会話文を読みながらフレーズを学ぶことができます（7レッスンごとに文法解説も入っているのですが、まずは会話文に集中してください。理由は追って説明します）。レイアウトも見やすく、非常に優れた教材だと思います。

ただし、Assimilは、フレーズの訳文や文法解説が英語（もしくはフランス語）で書かれているものしかありません。**英語に抵抗がある方は、日本語の教材から先ほど紹介した『ニューエクスプレス』シリーズなどの「物語や会話文が多く載っている、音声つきの教材」を選ぶといいでしょう。**

ステップ②で文法を学ぶにあたって、ぜひ意識していただきたいのは「文法は、実際のコミュニケーションで活用できるようになって初めて、学んだ価値が出るものである」ということです。

コミュニケーションツールとしての言語を習得する以上は、「コミュニケーションの実践の場」で活きなくては文法を学ぶ意味がありません。つまり文法は、その言語で自分が話す際、あるいは書く際の強力なサポート役として機能するのです。

▼外国語習得に「文法」は必要

私たち日本人は、普段日本語を話していますが、「文法に従って文章を組み立てている」という意識は、ほとんどありません。日本語の文法を論理的に説明できるかどうかも怪しいものです。

たとえば「私は」と「私が」の違いを文法的に説明できるかといったら、できない人が大半でしょう。でも、「私は」と「私が」には厳密な使い分けがあり、私たちは「そういうものだから」と感覚的に使い分けています。

母語は、私たちが生まれてからずっと接してきた言語です。周囲から大量のインプットがあり、そこから言葉を体得して大量のアウトプットをする中で、直感的に、ほぼ文法的に正しい文章を構築することができるようになっています。

たびたび「若い世代の言葉の乱れ」などが取り沙汰されるように、本来の文法的には誤った用法が普及することもありますが、それも含めて、母語とは「暮らしの中で体得するもの」といえるでしょう。

しかし外国語を習得するとなると、だいぶ勝手が違います。

100ページで、「赤ちゃんが母語を身につけるプロセス」が、大人の言語習得でも理想的であると言いました。

これは、まず大量のインプットを経てフレーズを体得し、それから文法を身につけるという順序の点においていえることなのですが、「いかに文法を学ぶか」という点では、やはり大人はちょっと違います。大人になってからの言語習得では、いずれ論理的に文法を学ぶ必要があるのです。

大人であっても、仮に極めて多くのインプットに囲まれて生活する環境に身を置くことができれば、強いて論理的に文法を学ばなくても言語を体得できるのかもしれません。しかし独学の場合は、そうはいきません。

独学で言語を習得するのなら、「ネイティブの発音を真似して声に出す」という練習を積み重ねるだけでは不十分で、いずれ必ず「文法を学ぶ」という補助輪が必要になってきます。

ある程度、**実用的なフレーズのストックを作ったら、今度は「ルールを理解して使いこなす応用力」をつけることで、習得に向けてさらに上達するための武器を手にすることができる**のです。

▼「法則」を探してみる

では実際に、文法はどのように身につけたらいいでしょうか。**いきなり論理的な学習を始めるのではなく、まずは文の構造を感覚的に捉えてみる**のがおすすめです。

ステップ①では頻出フレーズ、ステップ②では物語や会話文に触れ、さらにフレーズのストックを増やします。このプロセスの効果をより高めるために、ぜひおすすめ

**文法を学ぶ際、単に黙読・音読するのではなく、
文章を書き写しながら音読してみよう**

したいのが、**単に黙読・音読するのではなく、文章を書き写しながら音読する**ことです。

私は実体験から、自分の手を動かして書くのと教材に印刷された文字を読むのとでは、学習効果に大きな違いが出ると感じています。

自分でペンを握って動かすと「触覚」が刺激され、自分で書いた文字列を見ると「視覚」が刺激されます。さらには自分で書いた文字列を声に出して読むと、その音が自分の耳に響くため「聴覚」が刺激されます。

「書く」という行為により複数の感覚が刺激されることで、学んだことが頭に定着しやすくなり、学習効果が格段に向上すると感じているのです。

書き写すものは何でもかまいません。教材や本の物語、会話文を書き写すだけでも効果的です。さらに学習が進んでレベルが上がってきたら、ニュース記事などを書き写すのもおすすめです。

これと同時進行で、文法の学習も進めていきましょう。

といっても、教科書などで文法を暗記していくのではありません。まず「今まで覚えてきたフレーズは、どう組み立てられているのか？」と考え、フレーズを成立させているルールを予想してみます。

そんなの無理だと思われたかもしれませんが、大丈夫です。すでにいくつものフレーズが頭に入っている状態ですから、基本的なルールを予想するのは、そう難しいことではありません。試してみれば、きっとおわかりいただけるでしょう。

たとえば「語順」です。頭にストックされているフレーズをいくつかでも思い返してみると、それらに共通している「語順のルール」を何となく汲み取れるはずです。

ここでは、スペイン語を例に挙げて試してみましょう（次ページの図参照）。

外国語の語順にはルールがある

- 私は日本語を話します。
  Yo hablo japonés.
  私 ＋ 話す ＋ 日本語
- 私はスペイン語を勉強します。
  Yo estudio español.
  私 ＋ 勉強する ＋ スペイン語
- 私はこれが欲しいです。
  Yo quiero esto.
  私 ＋ 欲する ＋ これ

↓

ルール＝主語→動詞→目的語

これらに共通する語順のルールは何でしょうか。

そう、「主語→動詞→目的語」ですね。こういうことでいいのです。

もうひとつ例を挙げると、「動詞の活用」です。主語によって動詞の形が変わる言語はたくさんあるのですが、すでに覚えているフレーズを並べてみると、やはり、ある程度は予想がつくものです。これもスペイン語を例に試してみましょう（次ページの図参照）。

一人称である私「Yo」が主語の場合は動詞に「o」、三人称である彼「Él」が主語の場合は動詞に「a」をつけるルールがあると予想がつきます。

スペイン語の動詞の活用ルールは？

- Yo **hablo** japonés.
  私は日本語を話します。
- Yo **estudio** español.
  私はスペイン語を勉強します。

＝

一人称（Yo）が主語
→動詞の末尾に「o」

- Él **habla** español.
  彼はスペイン語を話します。
- Él **estudia** inglés.
  彼は英語を勉強します。

＝

三人称（Él）が主語
→動詞の末尾に「a」

すでにいくつものフレーズが頭に入っていれば、ここで例に挙げたものより少し複雑なフレーズにおいても、こうした基本的なルールの予想ができるはずです。

このように、今まで覚えてきたフレーズの共通点を見出し、基本のルールを予想することで文法知識の素地を作ることができます。もちろんルールには例外がつきものですが、それは基本を知ってから徐々に覚えていけばいいだけです。

▼簡単な文章を組み立ててみる

フレーズからルールを予想したら、次は、自分で簡単な文章を組み立ててみます。論理的に文法を学ぶ段階に入るのは、もう少し先です。

まずは予想したルールを用いて、今まで覚えてきた中になかったフレーズ、たとえば「ネイティブの友だちができたら言ってみたいフレーズ」や「現地を訪れたときに言ってみたいフレーズ」を自分で作ってみてください。

先ほど、一人称である私「Yo」が主語の時は、動詞が「o」で終わることが多いと予想しました。そこで別の動詞「vivir（住む）」や「escuchar（聴く）」を使って、一人称が主語である文を組み立ててみます（次ページ図参照）。

もちろん例外もあるため間違っている可能性はありますが、それは論理的に文法を学ぶ段階で答え合わせをして、修正すればいいのです。

ここまでの感覚的な学び方を経て、ようやく文法を学ぶ段階に入ります。

Assimilを使う場合は、会話文の下に記載されているnote欄や、7レッスンごとに挿入されている文法解説を読み、論理的な理解を得ていきます。1レッスンごとに設けられている練習問題も、ここまで来れば、きっとスラスラ解けるでしょう。

ルールを踏まえて文章を作ってみると……

- Yo **vivo** en Tokio.

私は東京に住んでいます。

- Yo **escucho** música.

私は音楽を聴きます。

それにしても、なぜ文法を最初に覚えるのではなく、「まず知っているフレーズから ルールを予想してみる」「それを元に簡単な文章を組み立ててみる」という感覚的な段階を踏むことが重要なのかと不思議に思われたかもしれません。

一言で言えば、そうすることで、実践的な文法を効率よく学べるからです。

実用的なフレーズから切り離して文法を学ぼうとすると、どうしても、まず文法を「暗記」することになります。

そして実際のコミュニケーションを想定して、暗記した文法を当てはめながら文章を作って頭に入れる、という回り道をしなくてはいけません。

しかし、まず頭にストックされているフレーズから基本ルールを予想し、自分で簡単な文章を作ってみる。その答え合わせをするように文法を学んでいくという順序を踏むと、**実践の文脈から外れることなく文法を身につけることができます。そしてその応用として、もっと高度な文章も難なく作れるようになっていくという具合に、すべてが実践の文脈上で一直線につながる**のです。

過去に私は、学習の初期段階で市販の文法の参考書を手に取って学んだところ、どこでその文法を使うのかよくわからない、難解な文法用語が多くて理解しきれないという経験をしました。

ネイティブは、そんな過程を経ることなく感覚的に文法を使いこなしています。

もちろん、その言語を母語として、赤ちゃんのころから接してきたネイティブと完全に同じレベルで言語を体得することはできません。

前にも述べたように、いつかは文法を論理的に学ばなくてはいけない。ただし学び方を工夫すれば、ネイティブが感覚的に文法を体得するプロセスに近づくことはできるはずなのです。

それをノウハウとして体系づけたものが、ステップ②というわけです。

・覚えたフレーズからルールを予想する
↓それを元に簡単な文章を組み立ててみる
↓答え合わせをするように文法を学ぶ（疑問点は調べ、例外的なルールも学ぶ）

という具合に「感覚的理解↓論理的理解（そして応用）」の順序を踏み、実践的な文法を身につけていきましょう。

▼「逆翻訳」でライティングを練習する

ネイティブの発音を真似する。フレーズを覚える。教材の物語や会話文を書き写す。自分で簡単な文章を作ってみる。これらを反復することで、リスニング、スピーキング、リーディングはどんどん上達するでしょう。

残るはライティングです。学習中の言語で「文章を書く力」を、どのように身につけたらいいいか。それには**「逆翻訳（バックトランスレーション）」**をおすすめします。

逆翻訳は、**物語や会話文の和訳を最初に読んで、それを学習中の言語に翻訳してみるという手法**です。原文で答え合わせをすることで「正しく書けたところ」「間違って書いてしまったところ」が明確になるため、単語の用法や文法に対する理解度を客観的にチェックすることができます。

これを何度も繰り返すことで、文法的な理解が深まると共にライティングの力がついていきます。文章構築力を鍛えることで、スピーキングもさらに上達するでしょう。シンプルですが、総合的にアウトプット力を強化できる非常に効果の高い学習法です。

▼頻出単語の目安は約3000語

ステップ①（102ページ）では「単語は単体で覚えるのではなく、フレーズごと覚えたほうがいい」とお伝えしました。

次のステップ②（119ページ）でさらにフレーズのストックが増えるにつれて、自ずと語彙も増えていきます。また、フレーズを通して文法知識がついてくると、単語だけを入れ替えて、覚えたフレーズとは違うことを言ってみたくなるはずです。

つまり、**このあたりから単語を単体で覚えてもいい（覚えるべき）フェーズに入るため、語彙力を個別に強化する方法も取り入れていくといい**でしょう。

どの言語にも単語は無数にあります。ただし「毎日のように使う単語」となるとぐっと絞り込まれ、1000～3000語と言われています。普段話している母語（私たちの場合は日本語）を思い返してみても、辞書に載っている全単語のうち日常的に使っている単語はごくわずかでしょう。

言い換えれば、**実践的な文法を学びつつ頻出単語1000～3000語を覚えてしまえば、それらを自在に組み合わせて、日常会話くらいは不自由ないレベルに到達できる**ということです。

1000～3000語という数字だけを見ると膨大に思えるかもしれませんが、実は、そうでもありません。

単語を覚えるには、ネット検索、Google翻訳などの
ツールをフル活用しよう

フレーズは単語の集合体です。たとえば「あなたはどこの出身ですか?」「あなたは何を勉強していますか?」「私は東京に住んでいます」「彼は動物が好きです」「彼女は毎日、公園に行きます」の5フレーズだけでも、「あなた」「どこ」「出身」「何」「勉強」「私」「東京」「住む」「彼」「動物」「好き」「彼女」「毎日」「公園」「行く」の15語になります。

要するに、ステップ①②でたくさんフレーズを覚えてきた中で、すでに相当数の単語を記憶しているはずなのです。そこに追加するかたちで1000~3000語にまでもっていけばいいと考えれば、できる気がしてくるでしょう。

では、覚えるべき頻出単語はどのように絞り込んだらいいでしょうか？

『○○語　頻出単語集』みたいな市販の参考書を購入してもいいのですが、もっと手軽な方法があります。まずは、79ページで紹介したケンドラ・ランゲージ・スクールのYouTubeチャンネルです。各言語でよく使われる単語を音声とともに紹介しています。他にも「most common words in 言語名」でネット検索する方法があります。**そこで表示される単語リストのうち、知らない単語だけをピックアップして覚えていきます。**

ただ、ネットだと間違っていることもあるので**Google翻訳やDeepLなどの翻訳ソフトで確認しながら自分で単語リストを作成するとさらに効果的**です。

具体的には単語と日本語訳（もしくは単語のイメージ画像）をリスト化します。手間はかかりますが、ひとつひとつ自分で入力する分、記憶に残りやすいという利点があります。

リストができたら覚えていく段階ですが、そこでもコツがあります。

記憶の仕組みとして、何かを単独で覚えるよりも、「自分がよく知っているもの」と結びつけたほうが覚えやすいものです。この性質を利用して、**新しい単語は語呂合わせ、つまり「自分が知っている言葉」と結びつけて覚えていく**といいでしょう。

私の実践からいくつか例を挙げると、韓国語で「勉強」は【공부】、その読み方がコンブに近いことから「昆布」をイメージしました。同様に「今年」は【올해】で、オレに近いことから「俺」、「子ども」は【아이】（アイ）なので「愛」、というように関連付けて覚えました。

語彙を増やすところでも、発音の練習は欠かせません。単語ごとにGoogle翻訳などで正しい発音を確認し、真似して口に出す。これを繰り返します。

このように語彙力を強化する傍らで、前に述べた「文章を作ってみる」という練習も続けてください。

新たに覚えた単語を使って、ネイティブに言ってみたいフレーズや、現地を訪れたときに使いたいフレーズを作ってみる。さらにはSNSに投稿するという想定でも文章を組み立ててみましょう。

このような練習を続けることで、よりいっそうネイティブとスムーズに話したり、スラスラと文章を書いたりできるアウトプット力がついていきます。

▼学習の初期に海外エンタメを取り入れるのは要注意

過去に「習得したい言語の映画やドラマを原語の字幕で、あるいは字幕なしで視聴する」といった言語習得法を耳にしたことがある、もっといえば「ちょっとやってみようかな」と思ったことがある人は多いのではないでしょうか？

たしかに映画やドラマを取り入れると、楽しみながら外国語学習を進められるという大きなメリットはあるのですが、私は**「映画等を学習プロセスに取り入れるタイミング」も重要**だと思っています。

その言語についてほとんど何も知らない学習の初期段階で、いきなり映画等に触れると、「何を言っているのかわからない↓楽しみたいのに楽しめない↓徒労感が募る↓挫折」というルートをたどってしまいかねません。これでは、どれほど意欲がある人でも早々に疲れてしまうでしょう。

普通の日本語字幕つきで純粋に原語を楽しみつつ、ほんの何割かの意識だけを登場人物のセリフに向けて、その言語の「音」に慣れたり、「この単語、このフレーズ、よく使われるな」というものを見つけたりする。学習の初期段階で映画等を取り入れるとしたら、これくらいがちょうどいいと思います。

しかしステップ①、ステップ②をたくさん繰り返して、頻出フレーズ、基本的な文法、1000～3000語が頭に入っている状態ならば話は別です。エンタメを積極的に取り入れると、楽しみながらいっそう外国語学習がはかどるでしょう。

つまり**「コンテンツを楽しむことを通じて言語能力をつける」という手法は、ある程度の理解力――目安としては「半分くらいは原語で理解できる力」が備わった後にこそ効果を発揮する**のです。

Netflixなどで「言語名　映画」で検索すると、メジャーな言語ならば、たいていは指定した言語のコンテンツが表示されるはずです。

たとえばスペイン語の映画を探したい場合、日本語で「スペイン語　映画」と検索します。情報量が少なそうなら、スペイン語で「películas en español」と検索します。ちょっとした力試しのつもりで、それを原語の字幕つきで視聴してみてください。

わからないところが多くても落胆することはありません。79ページで紹介したLanguage Reactorを使えば日本語と原語を同時に表示させることができるので、そこから単語や言い回しのレパートリーをどんどん増やしていくことができます。

他にも、特にリスニングを強化したいのなら、ネイティブが話しているPodcastチャンネルを聴く、リーディングを強化したいのなら、WEBTOONなどのアプリでマンガを読むなどの方法もおすすめです。

学習中の言語のコンテンツを取り入れる最大のメリットは、「楽しみながら学べること」「学習継続のモチベーションを維持できること」にあります。

特に現在はさまざまなサブスクリプションサービスのおかげもあって、ほぼ世界中のコンテンツを日本にいながらにして楽しむことができます。積極的に活用しない手はありません。

文字を覚える

▼文字を覚えやすい言語、大変な言語

言語の中には、英語とほぼ同じアルファベットを使うものもあれば、まったく違う文字を使うものもあります。

たとえば、スペイン語は「英語と同じ26字＋1字（Ñ）」、フランス語は「英語と同じ26字」、ドイツ語は「英語と同じ26字＋4字（Ä・Ö・Ü・ß）」です（これは表記のことであ

り、英語と同じアルファベットでも発音は言語ごとに違います）。

ただし単語になると、アルファベットの上や下に「綴り字記号」と呼ばれる記号をつける場合があります。スペイン語のアクセント（ú）やディエレシス（ü）、フランス語のトレマ（ë）やセディーユ（ç）などです。

こうした細かな違いはあっても、英語と同じ26字を基本としている言語ならば、アルファベットを覚えるのはそれほど大変ではないでしょう。

さて問題は、英語のアルファベットとはまったく違う文字を覚えなくてはいけない言語を習得したい場合です。

たとえば、私がこれまで学んできた言語の中ではアラビア語のアラビア文字、タイ語のタイ文字、韓国語のハングル、ロシア語のキリル文字、ヒンディー語などで使われているデーヴァナーガリー文字です。これらの言語の他にも、ヘブライ語のヘブライ文字やミャンマー語のビルマ文字など、世界にはありとあらゆる文字が存在しています。

1文字も知らないところから学んでいくのは、かなりハードルが高いと思えるかもしれませんが、実際にやってみると、意外と容易いと感じる人が多いのではないでしょうか。

特に**ひらがな、カタカナ、漢字という3種類の文字をもともと使い分けている日本人は、「文字を覚える能力」が高い**と考えていいと思います。

それに、たいていの言語において、覚えるべき文字の数は英語の26字と同程度です。どこが文字の切れ目かもわからない、ものすごく難しそうな見た目をしているアラビア文字ですら、バラバラにすれば28字しかありません。今まで膨大な数の漢字を覚えてきた日本人からすれば、大したことではないはずです。

▼難解な文字を一瞬で覚える方法

英語とはまったく違う文字体系をもつ言語を学ぶ際、私はいつも**YouTube**で**「言語名 Pod101.com alphabet」と検索**します。

文字の覚え歌を歌いながら覚えよう

たとえばアラビア文字を覚えたい場合は「ArabicPod101.com alphabet」と検索すると、アラビア語のレッスン動画がたくさん現れます。**その中から、文字の解説をしているものを選んで視聴**します。「Pod101.com」は、さまざまな言語のレッスン動画を集めたチャンネルです。たいていの文字についても、初心者が理解しやすいように覚え方、書き方、発音の仕方などのポイントが丁寧に解説されている動画を視聴することができます。

解説言語は英語ですが、どの動画もビジュアルをふんだんに使用しているので、すべて聴き取れなくても理解できるでしょう。

また、Language Reactorを併用すれば、日本語訳を表示させながら視聴することもできます。

もうひとつおすすめしたいのは、**英語で言うところの「ABCの歌」のような文字の覚え歌を検索して、歌いながら覚える**という方法です。

YouTubeで「言語名 alphabet song」と検索してみてください。子どもに母語の文字を教える際に用いる覚え歌は、どの言語にも存在するものです。一見したところは難解に見える文字でも、歌いながら覚えるのなら心理的ハードルが一気に下がるでしょう。

もし、これらの方法を用いても、なかなか文字をマスターすることができなかったら、頭の切り替えが必要です。いつまでもそこで立ち止まっているのは得策ではありません。いったん忘れて、前述のステップ①②（ステップ①＝実践的なフレーズを、ネイティブの発音を真似して、声に出す反復練習を積み重ねる。ステップ②＝フレーズの知識が増えて、リスニングやスピーキングの素地ができてきたら、文法を学んでいく）をどんどん繰り返しましょう。

ステップ①②でも、どのみちフレーズや単語を頭に入れる過程で文字はたくさん目にすることになります。

座学で記憶するのが難しく感じるなら、実践の中で覚えるのみ。フレーズや単語を覚えるという実践を通じて、文字も覚えていけばいいのです。

几帳面な人は、文字の習得が中途半端なままだとモヤモヤするかもしれません。しかし、そこにこだわって立ち止まってしまうよりも、別のアプローチに頭を切り替えたほうが、結果的には早く上達できるのです。

「まずは英語を学びたい」人へ

▼そもそも英語は、日本人には難しい

　いくつもの言語を習得することはさておき、「まずは、英語を習得したい」という思いで本書を手に取ってくださった人も多いかと思います。

　私と同じく「学生時代の英語の授業が楽しくなかった」とか、あるいは「長年勉強したけど、結局は受験対策にしかならなかった」「ぜんぜん話せない英語への苦手意識が拭（ぬぐ）えない」といった理由で自信を失っている人も少なくないでしょう。

そのような人には、「英語すらおぼつかないのに、『多言語を習得する』なんて遥か遠い世界の話」と思わせてしまったかもしれません。でも、ちょっと待ってください。私が思うに、英語は日本語を母語とする人にとって、実は習得するのが難しい言語なのです。

言語習得の難易度は、「習得したい言語と母語が、どれだけ異なるか」によって決まります。

たとえば「英語を母語とする人」にとって、英語と似ているところが多いオランダ語、スペイン語、スウェーデン語は難易度の低い言語といえます。少しだけ似ているところがあるヒンディー語、タイ語、ロシア語などは難易度が中くらいの言語。まったく異なるアラビア語、日本語、中国語などは難易度が高い言語といえます。

ちなみに私は、まずスペインに対する強い興味からスペイン語を習得する中で、英語も習得しました。学生時代に楽しめず、習得もできなかった英語を習得することができたのは、今にして思えば、スペイン語と英語の類似性のおかげだったとも考えられます。

話を戻します。もうお気付きかもしれません。英語話者にとって、「英語とまったく異なる日本語」は難易度が高い言語。逆もまた然りで、**日本語話者にとって、「日本語とまったく異なる英語」は難易度が高い言語**なのです。

英語と日本語は、まず使う文字が違います。文字が違えば、似ている単語も存在するはずがありません。語順などの文法もまったく違います。さらに、英語は日本語にはない音があるため、日本人は英単語を正しく発音するだけでも苦労します。

▼いったん「日本語に近い」別の言語を学ぶのも手

ここで道は2つに分かれます。

もし、そこまで英語を習得することにこだわっておらず、何かしら外国語を学んでみたいという人がいたら、いったん英語以外の言語にトライするのもありでしょう。

これが1つめの道です。

学びやすさで言うと、意外にも**トルコ語は文法的に日本語と似ているところが多く、比較的習得しやすい言語**だと思います。**同じ漢字文化である韓国語、中国語、あるいは文法が似ているヒンディー語なども学びやすいほう**だといえます。

まず、こうした言語をひとつ学んでから英語に着手すれば、案外、すんなり習得できるかもしれません。

私の場合は「トルコ語（もしくは韓国語、中国語、ヒンディー語）→英語」ではありませんでしたが、ひとつ新たな言語を習得するごとに、また新たな言語を習得するハードルは低くなると実感しています。

中にはアラビア語のようにものすごく複雑な言語もあれば、インドネシア語のようにシンプルな言語もあります。でも、どの言語でも学び方は同じです。

今までの経験上、「すべきこと」は明確で、なおかつ「すべきことをした結果、習得している自分」のイメージも明確なので、その言語を使えるようになっている近い未来を信じて着々と学習を進めていくことができます。

当然ですが、先にどのような言語を学んでも、英語と日本語の差異そのものは変わりません。

ただ、ひとつでも外国語を習得すると、「言語を習得する」ということ自体が自分にとって未知のものではなくなります。すでに1回は経験済みの「勝手知ったるもの」になるといったらいいでしょうか。

学ぶ言語が変わっても通用するコツや勘所がつかめる。そこでの成功体験が自信につながり、日本人にとっては難易度の高い英語のような言語でもスムーズに習得できるようになるのです。

▼「やはり、まず英語」なら？

一方、「やはり、まず英語」という人もいるでしょう。

あくまでも最初に英語を習得する、これが2つめの道です。

「でも、どうしたらいいのかわからない」「英語を自在に使えるようになるなんて、やっぱり自分には無理なのかもしれない」――という人に言いたいことがあります。

どうか、もう英語を怖がらないでください。

先ほど、英語は日本人にとって難しい言語であると述べました。

にもかかわらず、多くの日本人は、そんな学びにくい英語を何年間も学んだ経験があるのです。

しかも日常会話くらいなら、中学英語レベルの知識で十分通用します。

つまり中学校で英語の授業を受け、テストで及第点を取ってきた人であるならば、すでに英語の素地は十二分にあるといえます。日本人にとって英語は学びづらい言語である中で、そこまで身につけていることに対して、まず自信をもってほしいと思います。

にもかかわらず、なぜ「英語を聴き取れない」「話せない」のかといえば、理由はただひとつ。その訓練を受ける機会に恵まれてこなかったからです。

私も、かつては同じでした。学生のころは、教科書で文法を覚え、単語帳で単語を暗記するばかりで、生の英語を聴ける機会や話せる機会はほとんどなかったのです。

もしかすると、近ごろは変わってきているのかもしれませんが、かつて日本の英語

教育は文法学習に偏っており、会話の実践力を伸ばすようには組み立てられていなかったといえます。

だとしたら、これからすべきことは明確でしょう。英語の実践力、特に学校では手薄だったリスニングとスピーキングの訓練を積む。まさに先ほど説明してきたステップを踏んで、英語の学び直しをしていけばいいと思います。

そこでひとつ問題となるのは、本書でおすすめしているPimsleurは基本的に、英語で外国語を学ぶためのアプリであるという点です。

英語の非ネイティブ向けには「韓国語で英語を学ぶ」「フランス語で英語を学ぶ」「スペイン語で英語を学ぶ」などのコースがあるのですが、なぜか「日本語で英語を学ぶ」コースはありません（2024年4月2日現在）。

また、テキスト教材のAssimilはフランスの企業が作っている教材なので、実はフランス語で外国語を学ぶシリーズが最も充実しています。英語で外国語を学ぶ教材もありますが、十数ヵ国語に留まります。こちらでもやはり、日本語で英語を学ぶ教材は作られていません。

というわけで、**英語を習得するためにステップ①②を踏んでいくには、自分でちょうどいい外国語学習アプリやテキスト教材を探す**必要があります。

ネイティブの発音を真似るステップ①では、Podcast や YouTube で「英語のネイティブのリアルな発音に触れられる＋日本語の解説つき」のチャンネルを探すと、かなり学びやすいでしょう。まずおすすめしたいのは、第2章で紹介したケンドラ・ランゲージ・スクールです。各言語で頻出フレーズを紹介している中でも、英語の動画は特に充実しています。初級から上級まで対応し、試験対策用の動画まで揃っています。これに加え、おすすめの Podcast もいくつかご紹介します（次ページ表参照）。

テキスト教材は、物語や会話文に文法解説が載っているという構成で、かつCDなど音声素材がついているものを探してみてください。私のおすすめは『ニューエクスプレス』シリーズです（一部、CD未付録の言語もあるようなので、購入する前に確認してください）。

これで、Pimsleur と Assimil を使わなくても、ほぼ同じようにステップ①②のプロセ

難易度別　おすすめの「Podcast」

《初心者向け》

番組名	概要
Hapa 英会話 Podcast	アメリカ英語。日常的なテーマを扱う。英語と日本語の両方で解説が入るため、初心者も取り組みやすい
Daily English Expressions Podcast	アメリカ英語。1日1個、実用的な英語表現を教えてくれる。全編英語であるものの、ゆっくりと話してくれるので聴き取りやすい

《中級者向け》

番組名	概要
Voices of America Learning English	アメリカ英語。時事ネタやサイエンスなどテーマが豊富。平易な語彙を使っているため理解しやすい
6 Minute English	イギリス英語。BBCが運営するチャンネルで特定のテーマについて6分間話している

スを踏んでいけるでしょう。

▼英語は「便利なツール」と考える

そしてもし、英語の学習を進めるうちに苦手意識や抵抗感が薄れ、徐々に実践力もついてきたと感じたら、ぜひ「英語で他言語を学ぶ」ということにも挑戦してほしいと思います。

なぜなら、英語そのものを学習するよりも、英語で他言語を学習したほうが、結果的に、他言語と一緒に英語も上達しやすいからです。

英語で他言語を学ぶには、英語による解説文を聴き取ったり読み取ったりする必要があります。たとえば「このスペイン語の文法は、どういうことだろう?」と思ったら、まず英語を理解しなくてはいけません。

このように**「他言語を学習するためのツール」として英語を活用すると、自然と英語のリスニングやリーディングが上達する**というわけです。

また、英語は世界共通語なので、他言語のネイティブと話しているときに単語や文法についてわからないことがあったら、英語に切り替えて質問することもできます。

もちろん英語を話せない人もいますが、私が実際に接してきた中では、出身国を問わず、かなりの割合の人と英語でのコミュニケーションが可能でした。

ここでもやはり「便利なツール」として英語を使う機会をもつことで、自ずと英語のリスニングとスピーキングが上達するわけです。

さらに、Pimsleurを代表格として、英語で作られた外国語学習ツールは、非常に優れている上に幅広い言語をカバーしています。

つまり英語を、他言語を学ぶツールとして使えたほうが、もっと色々な言語を習得したくなったときに、より優れた外国語学習ツールで効率的に学習を進めることができるのです。

日本語で他言語を学ぶよりも負荷が高くなるのはたしかですが、このメリットは大きいでしょう。5年間で12ヵ国語を学んだ私は、まさに、そうした恩恵を享受してきた身といえます。

そして多くの言語を理解できるようになると、第1章でも述べたように、アクセスできる情報量が格段に増加するということも改めて付け加えておきます。

この点については、ニュース感度や政治・経済の知識レベルも問われるところですが、「英語をツールとすると効率的に他言語を学べる」ということが、やがては情報強者となり、より広い視野でさまざまな物事を考えられることにもつながる可能性があるのです。

「ポリグロット（多言語話者）」への道

▼「同系統の言語」は学びやすい

一番大変なのは最初の1言語めで、2言語、3言語と増やしていくのは、そこまで大変ではありません。

言語そのものは自分にとって未知であっても、もはや習得するプロセスは未知ではないからです。「先に習得した言語と同じように学べばいいんだ」と考えると、新しい言語に取り組む気持ちは軽やかになり、自然と、モチベーションも維持しやすくなるでしょう。

どの言語を学ぶのかを決める上で、一番の基準となるのは、やはり自分の目的意識です。

私も、その言語への興味、文化への興味、さらには「自分のYouTubeチャンネルの、海外視聴者と話したい」「この言語を習得したら、こんなにも多くの人と話せるようになるんだ」といった意欲や期待の赴くままに、これまで12ヵ国語を習得してきました。

それは今後も変わることはないでしょう。

このように、外国語学習を最もドライブしてくれるのは自分の目的意識ですが、複数の言語に同時に心惹かれている場合は、**「学びやすい順序」を意識して、先に学ぶ言語を選ぶのもひとつの方法**です。

ちなみに比較言語学では、ラテン語など「祖先」となる言語により、世界の言語が細かくグループ分けされています。

世界中の言語を大まかに区分すると……

《アフロ・アジア語族》

種類	外国語
セム語派	アラビア語・ヘブライ語など

《インドヨーロッパ語族》

種類	外国語
バルト・スラブ語派	【バルト語派】リトアニア語・ラトビア語など 【スラブ語派】ロシア語・ポーランド語・ウクライナ語・セルビア語など
ゲルマン語派	英語・ドイツ語・オランダ語・スウェーデン語など
イタリック・ケルト語派	【イタリック語派】スペイン語・フランス語・ポルトガル語・イタリア語・ルーマニア語など 【ケルト語派】アイルランド語など

《チュルク語族アルタイ諸語》

種類	外国語
チュルク語族	トルコ語・カザフ語・ウズベク語・ウイグル語など

《オーストロネシア語族》

種類	外国語
マレー・ポリネシア語派	インドネシア語・ジャワ語など

《シナ・チベット語族》

種類	外国語
シナ語派	広義の中国語

《クラ・ダイ語族》

種類	外国語
カム・タイ語派	タイ語など

すべて挙げると紙幅が足りなくなってしまうので、私が学んできた言語を含め、大まかにピックアップしたものを前ページの表にまとめました。

この分類を参考にすると、たとえば、イタリック語派に属するスペイン語を習得した後は、フランス語、ポルトガル語、イタリア語などが比較的簡単に習得できるということになります。

実際、私はスペイン語の次にフランス語を学びましたが、単語の綴りや文法は似ているところが非常に多く、名詞の性別（男性名詞、女性名詞の区別）も一部例外はありますが、同じものが多かったです。そのため、かなりスムーズに習得することができました。

同様の考え方で、アラビア語を習得したらヘブライ語を習得しやすい、英語を習得したらドイツ語やオランダ語、スウェーデン語を習得しやすい、ロシア語を習得したらポーランド語やセルビア語を習得しやすいと考えていいでしょう。

ちなみに日本語については、いずれかの外国語と共通の語族に属することが証明されておらず、議論が続いています。

同系統の言語同士は発音や綴りが似ているので、
同時に学ぶと混乱してしまう

韓国語も日本語と同じ状況で、孤立した言語とする立場もあります。ただ両言語は漢字語のルーツもあり、似通った響きをもつ単語が多く、語順などの文法もほぼ同じです。**トルコ語、ヒンディー語は、それぞれ文字こそ日本語と違いますが、不思議なことに文法は似ている**のです。

▼同系統の言語を同時に学んではいけない

しかし、学びやすいからといっても、同じ系統の言語を「同時進行で学ぶ」のはやめたほうがいいでしょう。なぜなら、**同じ**

系統の言語は単語の綴りや発音が似ているがゆえに、同時進行で学ぶと混乱する恐れがあるからです。

たとえば、「本」はスペイン語で「libro」・フランス語では「livre」、「勉強する」はスペイン語で「estudiar」・フランス語で「étudier」、「嬉しい」はスペイン語で「contento」・フランス語で「content」と書きます。どれも、よく似ていますよね。

そもそも「よい」はスペイン語でもフランス語でも「bien」、「悲しい」はスペイン語でもフランス語でも「triste」と書くなど、まったく同じ綴り（発音はそれぞれの言語ごとに異なります）の単語が多いのですが、今、挙げたような微妙に綴りが違う単語もたくさんあります。

スペイン語とフランス語を同時に学んでいると、これらをあべこべに覚えてしまうなど混同しかねません。また、中には「nombre」はスペイン語では「名前」、フランス語では「数」を意味するなど、同じ綴りで意味が違う単語があることも混乱の元です。

外国語学習で気をつけるべきこと

▼文法を最初に学ばない

本書では、私が試行錯誤の末にたどり着いた外国語習得法についてお話ししてきました。

逆に、あまり効率的でない学び方もあります。これは、今までお話ししてきたことの裏返しと言ってもいいのですが、それを本項でまとめて紹介したいと思います。

みなさんの中には、ひょっとしたら、外国語の文法を知ること自体におもしろみを感じる人もいるかもしれません。

それはそれで素晴らしい素質だと思いますが、「コミュニケーションツール」として言語を捉えた場合、文法ばかり学んでいるとスピーキングとリスニングを鍛えにくいという難点があります。

文法的な正しさに気を取られて、「きちんと文章を組み立ててからでないと発言できない」という現象が起こりがちなのです。相手の言っていることを聴き取る際にも文法が気になるあまり、大意をつかみ損ねることが多くなるでしょう。

すると、どうしてもコミュニケーションは滞ってしまいます。

もちろん、文法的に正しく話せるに越したことはありません。しかし、そのために口が重くなってしまうくらいなら、たとえたどたどしくても、口をついて言葉が出てきたほうが会話は盛り上がります。

リスニングにおいても同様です。常に文法が気になっていると、相手の発言でひとつでもわからないところがあったときに思考停止に陥る恐れがあります。そうなるくらいなら**「だいたいこんなことを言っている」程度の理解でよしとしたほうが、瞬時に言葉を返しやすくなります。**

ですから、コミュニケーションツールとしての言語を習得したいのなら、いくら文法の勉強が好きでも、あえて「ステップ①ネイティブの発音を学ぶ」「ステップ②実践的な文法を学ぶ」という順序を踏んでほしいと思います。

このように外国語を学んでいくと、予想以上に早い段階でネイティブと話せるようになったり、その言語でコンテンツを楽しめるようになったりと喜びが大きくなるでしょう。

きっとこの本を手に取ってくださったみなさんにも「この順序で学んでよかった」と思っていただけるはずです。

▼例文が載っていない・音声素材がついていない単語帳で学ばない

ステップ①のところで、「単語単体ではなく、フレーズごと覚えることが大切」とお話ししました。

おさらいになりますが、特に学び始めのころはフレーズごと覚えないと、ひとつひとつの単語がどのように使われるのか想像もつきません。いくら単語を単体でたくさん覚えても、それを実践の場で活かすことができないのです。

また、本書のメソッドでは、「ネイティブの発音を聴いて真似て、リスニングとスピーキングを同時に鍛えること」に非常に重きを置いています。

これは、ある程度ステップ①を繰り返し、ステップ②に進んでからも続きます。したがって、たとえ例文が載っていてもネイティブの発音を確認できなければ、意味がありません。**例文がない単語帳、およびネイティブが例文を音読している音声素材がついていない単語帳で学ぼうとすると、本書で最も重視している点に適さない学び方になってしまう**のです。

▼フレーズや単語を「カタカナ読み」で音読しない

日本の教材で、よく外国語の会話文や単語に「カタカナのルビ」が振られているものを見かけます。わかりやすいように見えるかもしれませんが、カタカナ読みでフレーズや単語を音読するのはおすすめできません。

「自分で発音できる音は、聴き取れる」というのが、本書における外国語習得法の考え方です。

そこにカタカナ読みが介在すると、どうなるでしょうか。

もちろん、正しく発音できなければ相手に通じないかといえば、必ずしもそうではありません。たとえば英語は、「スペイン語訛（なま）り」「フランス語訛り」「ヒンディー語訛り」などさまざまな言語の訛りと共に話されています。カタカナ読みをベースとした「日本語訛り」の英語であっても、たいていは通じるでしょう。

では、なぜカタカナ読みがよくないかというと、正しく発音できることがリスニングの向上につながるからです。

ネイティブの発音を聴いて真似ているうちに、ネイティブと同様に発音できるようになります。そしてネイティブと同様に発音できるようになると、その音が自分の耳に入るため、さらにネイティブの発音を聴き取れるようになります。

カタカナ読みは、こうした好循環を断ち切ってしまうため、おすすめできないのです。

▼自分の実力に合わないレベルの教材で勉強しない

使う教材のレベルは、学習者のモチベーションを大きく左右します。

簡単すぎてはつまらないし、上達を感じられない。かといって難しすぎると、ついていけなくて挫折しやすい。ちょうどいいのは「ちょっと頑張れば理解できる」くらいの難易度の教材です。

音声教材の宣伝で、「最初は一言もわからなくても、シャワーのように音声を浴びていれば、ある日突然わかるようになる」といった謳(うた)い文句を目にすることがしばしばあります。

使う教材は、自分のレベルに合ったものを選ぶことが大切

しかし、まったく理解できないものを延々と聞き流すよりも、5分間、集中して1フレーズでも2フレーズでも覚えたほうが、遥かに語学力向上につながります。ただ受動的に聞き流すだけでは、あまり効果はないでしょう。

早く上達するには、学習者の能動性が欠かせません。私の経験上、「ある程度は理解できるが、わからないところもある。そこを確認しながらアクティブに聴く」というのが、最も学習効果の上がりやすい学び方なのです。

このように「自分が簡単に理解できるラインよりも少し高く、努力すれば理解でき

るくらいのレベル」を、言語学者のスティーヴン・クラッシェンは「Comprehensible input（理解可能なインプット）」と呼びました。

それくらいのインプットができる教材を選ぶと、着実な上達を実感しながらモチベーションを維持し、学び続けることができます。

物語や会話文が載っている教材、語学系のYouTubeチャンネルやPodcastチャンネルは無数にありますが、「初見（初聴）で80〜90％くらい理解できるもの」であれば、今の自分のレベルに適しているといえます。

10〜20％分だけ頑張ればいいというのが、意外とハードルが低くて驚かれたでしょうか。しかし、この10〜20％の差分を埋める道のりが、着実な上達の道のりとなるのです。これに慣れてきたら少し難易度を上げて、60〜70％理解できる教材を選んで挑戦してみると、スムーズに進められると思います。

「大筋はわかるけれども、ところどころわからない単語や文法がある」くらいならば、投げ出したくなることはないはずです。「よし、ちょっとだけ頑張って、全部理解できるようになってみるか」と思えるでしょう。

第4章

外国語習得を加速させる習慣術

——継続のコツは「勉強」を「遊び」に変えること

初期段階の地道な積み重ねが、後から効いてくる

▼「毎日続ける」ことのすごい効果

これまでに12ヵ国語を習得してきて、私はつくづく「言語習得に極端な近道はない」と実感しています。「これをするだけで、たったの3ヵ月でペラペラ！」といった方法は存在しないと考えたほうがいいということです。

年月をかけなければ習得できないという意味ではありません。効果的な方法を効率的に実践していけば、日常会話レベルなら半年〜1年間で習得できるでしょう。

もちろん、習得できるまでの期間は、1日にどれくらいの量をこなせるかにもよります。後で詳しく紹介しますが、ここで大切なのは、「勉強時間」ではなく「勉強量」であることです。

頑張って勉強量を増やしすぎると、早々にモチベーションが低下してしまう恐れがあるので、各々にとって無理のない時間配分で学んでいくのがベストだと思います。

特に学び始めのころは、1～2日でも間隔が空くと前に学んだことを忘れてしまいます。私もそうです。ですから、**あまり上を見すぎず、焦らず、「とにかく、やめないこと」「毎日、その言語に触れること」を意識してください。**

やはり現実的に考えると、それほど多くの時間を言語習得に割けない人が大半でしょう。だからこそ、効果的な方法を効率的に実践していくことが、外国語習得の最大の鍵といえるのです。

▼楽しく学び続ける秘訣

本書で言う「効果的な方法を効率的に実践する」プロセスとは、これまで紹介したとおり、ネイティブの発音を聴いて真似つつ、先に頻出フレーズのストックを作ってから文法を学び、さらにフレーズと語彙のストックを増やしていくことです。

最初はPimsleurなどの音声教材を使って、ひたすらネイティブの発音を聴く、真似て発音する、こうして頻出フレーズのストックを増やしていく。

やがて文法的な知識を補ってからもなお、この練習は続けます。さらには、身につけた文法知識のもとでたくさんのテキストを読む、そして自分で文章を書いてみる。

この繰り返しにより、着実にリスニング、スピーキング、リーディング、ライティング、そして語彙力が総合的に上達していきます。

つまり、**「しつこいほどの反復練習」が外国語学習には必要不可欠**なのです。本節の最初に「外国語習得に極端な近道はない」といったのは、そういうわけです。

「結局は地道な積み重ねが必要なのか……」と、がっかりしたかもしれません。

しかし本書で紹介している手法やツールは、そんな地道な積み重ねを少しでも楽しく、上達の手応えを感じながら継続できるものになっているはずです。

そして、ここからが重要なのですが、最初にしつこいほど積み重ねる反復練習は、必ず、後で効いてきます。

ステップ②に入ったら、徐々にNetflixなどで映画やドラマを楽しんだり、言語交換アプリでネイティブと話したりする機会も設けていきます。そうした実践の場で、今まで続けてきた反復練習の絶大な効果を感じることになるでしょう。

そんなときが来ると思えばなおのこと、最初の地道な反復練習も苦ではなくなるはずです。さまざまな教材の甘い謳い文句に惑わされずに、まずは「やめないこと」を最優先として地道に基礎を積み重ね、着々と習得の道を歩んでいってください。

本章では、その習得の道のりを、より苦もなく楽しくすることで、いっそう外国語習得を早めるコツを共有していきましょう。

歯磨きをするように語学を学ぶ
――習慣化のコツ

▼毎日「決まった時間」に「決まった量」を学習する

継続の最大のコツは習慣化です。朝、顔を洗う。歯磨きをする。これらの行動は当たり前すぎて、「面倒くさいな。今日はいいか……」なんて思う人はいないでしょう。

これに匹敵するくらい当たり前の習慣として、外国語学習が日常に組み込まれると「面倒くさいな。今日はいいか……」と思うまでもなく継続できます。それどころか学習時間をもたないと気持ち悪いくらいになるかもしれません。

そのためには、**1日のうちの「どのタイミングに勉強するのか」を予め決めておくことをおすすめします。**

「朝、起きたら顔を洗う」「食後に必ず歯を磨く」というように、習慣はタイミングと密接に結びついています。ですから外国語学習も、「昼休みになったらPimsleurを開く」「通勤中はPodcastを聴く」というようにタイミングを決めておくと、日常生活の中で習慣化しやすいでしょう。

ちなみに私は、朝は脳がリフレッシュされていて集中力が高いような気がするので、起床直後を外国語学習の時間としています。

また、**1日にどれくらい勉強するかを「時間の長さ」ではなく「量」で決めることも大切です。** たとえば、「1日に1レッスンを終わらせる」という具合にです。

「時間の長さ」は一見、わかりやすい目安なのですが、学習の充実度が高かろうと低かろうと「今日もクリアした」と見なしてしまうという落とし穴があります。

「毎日、30分勉強する」といった決め方だと、その30分をダラダラ過ごしてしまうかもしれません。すると、「毎日、勉強時間を確保している割にぜんぜん上達しない」なんてことにもなりかねないのです。

また、1日あたりの勉強量を決めないままだと、やる気満々でいられる学習の初期段階はたくさん量をこなせても、徐々に失速し、いつの間にか学習習慣すらも失われる危険があります。

1日に決まった量を学ぶことにすれば、こうした事態は避けられます。「今日はこのフレーズを覚えた」「この会話文を理解した」「この文法を覚えた」といった達成感を得られることも、継続の推進力になるでしょう。

毎日、決まった時間に、決まった量を勉強する場合、外国語学習が一気にはかどることはありません。その代わりに、突然、失速するリスクも限りなく低くできます。

毎日、一定のペースで学んでいくことが、結局のところ最も確実なのです。

▼「やる気」より「環境づくり」が大事

いくら自分の意思で外国語学習を始めたとしても、モチベーションの維持は、おそらく誰にとっても悩みの種だと思います。三日坊主を繰り返してきたという人も多いかもしれません。

私も、日によってモチベーションが高かったり低かったりします。

特に下がりやすいのは学び始めて少し経ったころです。最初はやる気満々ですし、ひとつ学ぶごとに上達を実感できてモチベーションが維持しやすいのですが、その言語に少し慣れてくると、ある種の停滞期に突入することが多い気がします。

そうなったときに、いかに一定のペースで学習を進めるかは常に課題になっています。

そして最終的にたどり着いた答えは、「そもそもモチベーションに頼らないほうがいい」ということです。

モチベーションとは心理的なものです。そして人の心理は日々、移り変わるのが自然であり、ひとつのかたちに留めておくことなどできません。

そんな不確かなものに頼ろうとすること自体、危ういのではないか。どうしてもやる気が起こらないときに気持ちで乗り越えようとするのは難しいのではないかと気付いたのです。

飽くことなく外国語学習を続けるには、おそらく「モチベーションの高低にかかわらず、気付いたら今日もちょっとはかどっていた」という現象を起こし続けることが重要なのだと思います。

ではどうしたら、そんな現象を起こせるでしょうか。

自分の「やる気」には頼らないとすると、**鍵となるのは「物理的な環境」**です。

たいていは取り掛かるまでが一番のハードルなので、モチベーションが高かろうと低かろうと、できるだけサッと学習に取り掛かれるよう「最初の一歩」のハードルが低い環境を作っておくということです。

こうしてひとたび取り掛かってしまえば、気付いたときには1日分の学習量を難なくこなしている、そんなものなのです。

そのために私が実践しているのは、**「教材をしまいこまずに、すぐに目につくところ**

学習の習慣化には
「決まったタイミングに決まった量を学ぶ」
「すぐに取り掛かれるような環境づくりをする」ことが大事

に置いておく」「学習に使用しているYouTubeチャンネルのページを開きっぱなしにしておく」「音声教材をダウンロードしてすぐに再生できるようにしておく」といったことです。

几帳面に教材を閉じたり片付けたりすると、それを「ふたたび開くこと」「取り出すこと」すら億劫に感じる日は、ついサボりたくなってしまいます。そんな日でも、とりあえずサッと取り掛かることができるように、あえて「やりっぱなし」にしておくわけです。

本項で述べた「決まったタイミングに、

決まった量を学習する」「サッと取り掛かれる環境づくりをする」というのは、いってみれば外国語学習の習慣化の最低ラインです。

また、**可能な限り「学習中の言語で日常生活を満たす」こと。**それがうまく作用すればするほど、習得は早くなります。重要なのは、日々の「遊び」に組み込んでしまうなど、その言語に触れるハードルを極力低くすることです。

難しさや苦しみを伴う習慣は、たいてい長続きしません。ごく簡単な実践でも、「その言語が頭にある状態」を日常生活の中に可能な限り多く作ること。逆に言えば「その言語が頭から離れてしまう時間」を極力減らすことが、習得を早めるコツといっていいでしょう。

学習中の言語を「日常生活に組み込む」ステップ

▼独り言を言う

本項では、私が日々、取り入れている小さな習慣を紹介していきます。

ちょっとしたことばかりですが、これが毎日となると決して侮れません。今までの私の外国語習得は、間違いなく、こうした習慣に支えられてきたと感じています。すべてひとりで行えるというのも重要なポイントです。

学び始めのころは、アプリなどのレッスンで覚えたフレーズを日中、何度も何度も独り言で暗唱します。レッスンの最中にしっかり覚えたつもりでも、少し経つと忘れてしまうものだからです。

フレーズだけでなく、「机」「パソコン」「本」「ペン」「ノート」「服」「車」「街路樹」「公園」「学校」「子ども」「先生」など、身の回りにあるものや外出中に目についたものを片っ端から学習中の言語で言ってみるというのも、よく実践しています。

また、もう少し学習が進んで、多少は自分でも文章を作れるようになったら、考えたことや感じたこと、身近な出来事などを、その言語で文章にして声に出します。長々とは話せなくても、短文をいくつか作って言えればよしとしましょう。これもスムーズな日常会話力を身につけるための第一歩となります。

さらに効果的なのは、ネイティブとコミュニケーションを取る状況を想定して文章を作り、声に出すことです。たとえば、「その国のレストランにいる」という想定だと、どんなことを言っている自分の姿が思い浮かぶでしょうか。

「メニューをください」

「おすすめは何ですか？」

「これはどんな料理ですか？」

「では、〇〇と△△をお願いします」

「お水をいただけますか」

「お会計をお願いします」

「とても美味しかったです」

「ありがとうございました。また来たいです」


これらを、自分で文章を組み立てて言ってみます。わからなかったら翻訳ツールで調べますが、それも必ず声に出して言います。

このように**具体的なシチュエーションを想定すると、スキマ時間の中でも実践的なスピーキング力を鍛えることができます。**日々、さまざまなシチュエーションを想定することで表現の幅も広がるでしょう。いつか実際に、同じような状況になったときの予行演習になります。ぜひ取り入れてみてください。

スマホの言語設定を学習中の言語にすると、
その言語に触れる時間が増える。
「学習中の言語」が頭から離れないようにしよう

▼スマホの設定を学習中の言語に変える

スマホは私たちの日常生活に欠かせないデバイスです。1日のうちスマホを見ている時間を合計すると、おそらく何時間にもわたるという人が大半だと思います。

それほど**毎日、頻繁に触れているスマホの言語設定を学習中の言語に変更しておくと、その言語に触れる時間が格段に増えます。**

日本語のアプリで外国語に対応していないものは日本語表示のままですが、たとえばスマホの設定画面の各項目などは変更後の言語で表示されます。Instagram やX（旧 Twitter）、

Googleなど世界的に使われているアプリの表示も切り替わります。

私は、新しい言語に取り掛かるときに、スマホの言語設定をその言語に変更します。

これも、**なるべく「その言語が頭から離れてしまう時間」を減らすための工夫**です。

▼短文を書く、SNSに投稿する、日記をつける

ライティングを上達させるには、やはり実際に文章を書いてみるのが一番です。

日々、考えたことや感じたこと、印象的だった出来事、外国語学習などで頑張っていることの進捗（しんちょく）や気付きについて、短い文章をいくつか書いてみる。わからない単語や、文法的に自信がないところは翻訳ツールでチェックする、といった要領です。

文章は紙に書いても、スマホやパソコンで打ち込んでもかまいません（スマホやパソコンで書く場合は、設定でキーボードを追加します）。

書いた文章をSNSに投稿するのもおすすめです。その言語のネイティブが読むかもしれないという緊張感も相まって、よりいっそう正しい文章を書こうと心掛けるよ

うになります。こうした習慣は、上達に直結するでしょう。

短文を書くことに慣れてきたら、次は、もう少し長めの文章を書く練習として、その言語で日記をつけます。最初はなかなか書けないかもしれませんが、続けるうちにライティングへの苦手意識が薄れていくでしょう。

最初は短文だけ、やがては長文にも挑戦と徐々にレベルを上げ、常に「少しだけ努力を要するくらいの負荷」をかけ続けることが、より早い上達のコツです。

▼学習中の言語で趣味を楽しむ

たとえば「料理」が趣味なら、学習中の言語で配信されているレシピや料理動画を検索する。仮にスペイン語を学習中だとして「paella receta（パエリア　レシピ）」と検索すると、レシピを紹介するWebページや料理動画が山ほど出てきます。

どのような趣味でも同様のことが可能です。スポーツなどでも、たとえば「ゴルフ」が趣味なら、「Cómo mejorar el swing de golf（ゴルフのスイングの上達法）」と検索すると、やはりスペイン語のゴルフ指南サイトや動画がたくさん表示されるという具合です。

私の趣味は、外国の都市の景色や人々の雰囲気を調べることなので、よくYouTubeで旅動画を検索しています。

外国語学習に自分の趣味を持ち込み、その言語で好きなことの情報をインプットするのは、まさに「楽しみながら語学の上達を早めるコツ」といっていいでしょう。

学習の初期段階だと内容を理解するのが難しいと思うので、ある程度の文法の知識がついて、少し長めの文章も理解できるようになってきてからのリーディング、リスニングの上達法としておすすめです。

▼「覚えたこと」を忘れない方法

今まで紹介してきた習慣術は、習得した言語の維持にも役立ちます。

まだまだ先のことのように思えて想像がつかないかもしれませんが、せっかく習得した言語を忘れてしまうのは一番避けたいことでしょう。

言語は日常的に使用しないと、徐々に忘れてしまうものです。私も習得した言語の維持には苦労してきました。色々な方法を試して気付いたのは、**1日たった5分間でも言語に触れる時間を作るだけで、大きな違いが表れる**ということです。

ここで紹介した独り言、SNS、日記、趣味を学習中の言語で楽しむ、すべて5分もあればできるので、ぜひ言語を習得した後の維持法としても取り入れてください。

習得言語の維持という点については、次の習慣も加えておきます。

- 通勤や通学の時間に、その言語のPodcastやYouTubeを視聴する
- その言語の単語や文法で気になる点が生じたら、すぐに調べる

とにかく**「その言語が頭から離れてしまう時間」を極力作らないことが重要**です。

もちろん、オンラインレッスンなどで頻繁にネイティブとコミュニケーションを取るのが理想です。しかし、それが難しい場合でも、その言語について考えたり調べたりする時間を少しでも確保すれば、語学力を維持することができます。

なるべく日本語に変換せずに学ぶ

▼「画像検索」で語彙力を磨く

本章では、なるべく早く言語を習得するために、私が日ごろ心掛けていることを共有していきます。そこに通底している考え方は、先にも述べたとおり「極力多く、その言語に触れる時間を作ること」です。

これは、**ただでさえ日常生活では日本語に取り囲まれている中で、外国語学習の時間だけは、その言語で頭の中をいっぱいにするということ**でもあります。言い換えれ

外国語学習では、
「いったん日本語に変換する」癖をなくすことが重要

ば、「なるべく日本語に変換せずに学ぶ」ということを常に意識しているのです。

具体的に言うと、単語を覚えるときは、日本語訳よりも、その単語で画像検索して表示されるイメージで覚えるようにしています。

たとえば「manzana」で画像検索すると、「色は赤や緑で、形は丸くて、頭からヘタが少し出ている果物」のイメージがズラリと表示されます。中には、「ヘタに葉っぱが1枚ついている」ものもあります。

あるいは「trabajar」で画像検索すると、人間がパソコンの前で書類に囲まれ、忙しそうにしているイメージがズラリと表示されます。

これらのイメージから、それぞれ何を意味するのか予想してみてください。

そう、「manzana」はスペイン語で「りんご」、「trabajar」はスペイン語で「働く」です。このように単語をイメージで捉えることで、「学習中の言語」と「日本語」の行き来が最低限に抑えられるようにしているのです。

すると、まとまった文章を聴いたときに、日本語訳よりも先にイメージが思い浮かぶようになります。イメージ的な理解は言語的な理解よりも早いため、単語をいちいち日本語に置き換えるよりも素早く理解することができます。

このように、情景がそのまま脳内に浮かび上がるような感覚で聴いた文章を理解するというのは、実は言語学者のクリス・ロンズデールが提唱しているアイデアを忠実に実践したものです。

単語をひとつひとつ訳していると、知らない単語に出合ったときに頭が真っ白になり、それ以降の話が耳に入ってこなくなってしまいます。

まさに私がそうでした。中でも特にネイティブとのリアルタイムのコミュニケーションでは、知らない単語につまずくたびにタイムラグが生じてしまい、よく焦っていたものです。

しかし、単語をイメージで捉えるように訓練してからは、とりあえず知らない単語はスキップして、文全体のイメージが思い浮かぶようになりました。知らない単語は後から相手に意味を尋ねるか、自分で画像検索して、そのイメージを加えて理解を完結させるという感じです。

こうした「イメージ的な理解」の訓練を積むと、ネイティブの言葉を聴くときだけでなく、自分が話すときも自然とスムーズに発話できるようになるでしょう。そのためにも、まずは「初めて目にした単語を画像検索する」ところから実践してみてください。

▼外国語で外国語を学ぶ

本書のメソッドでひとつの言語を習得したら、その言語で別の言語を学ぶことにもチャレンジしてほしいと思います。これも「なるべく日本語を介さずに学ぶ」ことで学習効果を高めるひとつの方法です。

私が外国語学習のメインツールとしているのはPimsleurとAssimilなので、もともと英語で他言語を学んできたという経緯があります。しかしあるとき、ふと思い立ち、トルコ語は、フランス語のAssimilで学んでみることにしました。

トルコ語を習得するには、フランス語の解説をちゃんと理解できなくてはいけません。

したがって、トルコ語の学習とフランス語の復習が同時に行われるという、一石二鳥の学習効果を得ることができました。いい手応えを感じられたので、その後はフランス語の教材を使う機会も増えました。

今は無茶な話にしか聞こえないかもしれませんが、すでに何度もお伝えしているように、一番大変な1つめの言語を習得してしまえば、2言語めは少し楽、3言語めはもっと楽と、どんどん言語習得が楽になっていきます。

このように思えば、次の言語に取り組む心理的ハードルは次第に低くなっていくはずです。

そして、せっかくなら習得した1言語めを使って、別の言語を学んでみよう、という気になるかもしれません。

そこで、私が感じたのと同じような一石二鳥の学習効果を実感できたら、いかがでしょうか。

日本語を介さずに外国語でその他の外国語を学ぶことで、外国語習得の楽しみがさらに広がり、きっと多言語を自在に使うポリグロットになる道が拓(ひら)けるに違いありません。

「生きた表現」はネイティブに学ぶのが一番

▼「文法はぐちゃぐちゃ」でもOK

ネイティブと話す機会を多くもつほどに、習得は格段に早くなるというのが私の実感です。教材や外国語学習アプリではどうしてもカバーしきれない、本当にネイティブがよく使っている「生きた表現」は、やはりネイティブから学ぶのが一番でしょう。

みなさんもぜひ学習中の言語のネイティブと話す機会を積極的に作ってください。

以前は、ネイティブと話すチャンスというと、現地への旅行や留学、あるいはネイティブ講師がいる語学教室くらいしかありませんでした。

しかし今は違います。言語交換アプリなど、現地の人と簡単につながることのできるツールに恵まれているので、「もっと話せるようになってから」ではなく、「昨日覚えたフレーズを試してみよう」くらいの軽い気持ちで試すことをおすすめします。最初は「うまく話せるかな」「間違えたら恥ずかしい」といった心理的ハードルが高いかもしれません。でも、こちらが学習中であることは相手もわかっています。単語や文法を間違えても怒ったり笑ったりしないどころか、「正しくは、こう言うんだよ」「そういうときは、こう言ったらいいよ」と優しく教えてくれるものです。

少し話しただけでも「すごい！」と驚かれたり、「上手だね」などと褒められたりして、それがまたモチベーションアップにつながることもしばしばです。

文法的にはかなりブロークンで、とにかく単語を並べるだけでも問題ありません。言いたいことは意外と伝わるものですし、何より、その一生懸命さを褒めてもらえるケースがほとんどです。ぜんぜん上手でなくても相手の母語で話すだけで、一瞬で壁が消えていく感じがするのです。

一度これを体験すれば、当初感じていた心理的ハードルは消えていくでしょう。恐れず、恥ずかしがらず話して、わからないことは何でも聞いたらいいと思います。

さすがに勇気がいるかもしれませんが、**学習を始めて間もないころに、思い切ってネイティブと話してみるのもおすすめ**です。

私もフランス語、アラビア語くらいまでは、ある程度、学習が進んでからネイティブと話す機会をもっていたのですが、やがて、もっと前の段階でネイティブにアクセスするようになりました。韓国語では、学び始めて5日目には韓国の人とオンラインで話していました。

いくつか頻出フレーズをスラスラ言えたくらいで、もちろん、まだまだぜんぜん話せませんでした。でも、たどたどしいながらも韓国について興味深く思っていることを話したり、韓国語と日本語を教え合ったりして、とても楽しい時間を過ごしました。

5日目と聞いて驚かれたかもしれませんが、そんな私の体験談から、「ぜんぜん話せなくても大丈夫なんだ」と、感じていただきたいです。ネイティブと話すことに対する恐怖感や心理的ハードルを少しでも軽減できればと思います。

▼その国の流行、スラングを知っておく

ネイティブと話す前に、会話が弾むための「仕込み」をしておくのもおすすめです。外国人が自分の国に関心をもってくれたり、意外なことを知っていたりすると、たいていは嬉しく思うものです。ですから、**ネイティブと話す前に、相手の国で流行っていることなど「基本情報＋αのホットトピック」を頭に入れておきましょう。**

私は音楽が好きなので、ネイティブと話す前には、よくYouTubeなどで相手の国で流行っている歌手や曲を調べます。その他、ファッションでも食べ物でも、仕入れる情報は自分の興味のあることでいいでしょう。ただし、政治などデリケートな話題は避けたほうが無難だと思います。

また、学習中の言語で「言語名　スラング」とキーワード検索して、すぐに使えそうなものを頭に入れておくのも有効です。

スラングといっても、失礼な言葉や汚い言葉ではありません。「友人同士で使うような砕けた表現」を仕入れておいて、適時、使ってみるということです。

たとえば、「今、日本語を勉強中なんです」という人が、急に「ぴえん」や「〇〇しか勝たん」などの最近の若者言葉を使ったら驚きますよね。「なんでそんな言葉を知ってるの？」なんて言いつつ、一気に親近感が湧いて会話も弾むでしょう。

私が経験してきた限り、これは万国共通です。今までさまざまな言語のネイティブと話してきましたが、**相手の母語のスラングを使うと、たいていの人は、まず驚き、笑い、そして気付いたときにはすっかり打ち解けているのです。**

▼ネイティブとの会話を録音、録画する

ネイティブと話すチャンスを得たら、ぜひ、そのときの会話を録音、または録画してください。それを後から聴き直してみると、自分のリスニングやスピーキングの改善点が見えてきます。

録画・録音が効果的であると気付いたきっかけは、自身のYouTubeチャンネルで発信を始めたことでした。私は普段、さまざまな言語で、初対面の外国の方と会話して

ネイティブとの会話を録音・録画すると、復習に役立つ

いる様子を撮影しています。それをYouTubeで配信するには編集作業で字幕をつける必要があるため、何度も録画を一時停止したり巻き戻したりして、見返さなくてはいけません。

すると、自分が聴き取れていなかった単語や、発音や文法の誤りがはっきりと自覚できます。また、リアルタイムではネイティブが頻繁に使用していた単語に気付けず、録画を見返したときに知る場合も少なくありません。

つまり、**ネイティブとの会話の録音や録画は、今まで学習したことの復習材料であると同時に、新しい発見の源でもある**のです。

第5章

絶対に挫折しないマインドセット法

――「完璧主義」「苦手意識」「恐怖心」を取り除く

語学に「完璧はありえない」と割り切る

▼「苦手」を克服しようとしない

言語を学ぶ過程では、きっと誰もが「苦手とすること」にぶつかるものだと思います。

複数の言語を学んでいると、言語によって難しいポイントが違うと気付かされることもしょっちゅうです。

たとえばロシア語は文法が難解ですし、中国語とタイ語には「声調」と呼ばれる独特な発音体系があり、なかなか体得できません。

このように私も言語ごとに苦手とする部分はあるのですが、すぐに何が何でも克服しようと頑張ったことはありません。

文法や文字、発音が難しいと感じたら、とりあえず文法そのもの、文字そのもの、発音そのものには注力せずに、いったん脇に置く。

そんなふうに苦手なところはラフに捉えておいて、フレーズや単語にたくさん触れることを通じて、徐々に体得していけばいいか、くらいの気楽な感じです。

おそらくこれが、今までさまざまな言語を学び続けてこられた理由のひとつなのでしょう。

苦手なところにばかり目を向けていると、学びたい気持ちが少なくなっていってしまいます。

努力してもなかなか克服できないのはつらいものですし、つらいと感じるものは長続きしません。挫折の一大要因は、「苦手を克服しようと努力するあまり、つらくなってしまうこと」ではないかと思うのです。

裏を返せば、**苦手を克服しようと頑張らないことが、挫折知らずのマインドセットにつながる**ということです。

▼「話せる」のハードルを下げる

外国の人と会うと、よく「日本語、話せるよ！」と言われるのですが、実際のところは「コンニチハ！」「サムライ！」だけだったりします。もちろん人によるのですが、外国の人のほうが、総じて外国語を話すことをカジュアルに捉えていて、「話せる」のハードルも低い気がします。

そもそも日本人の考える「話せる」のハードルが高すぎるのです。

もしかしたら、みなさんの中にも、母語と同じくらい自由自在に話せて初めて「話せるようになった」といえると思っている人は多いのかもしれません。だとしたら、もっともっと「話せる」のハードルを低くする必要があると思います。

みなさんが生まれてからずっと触れてきた母語である日本語ですら、常に正しく話

日本人は「話せる」のハードルが高すぎる。
実際の「話せる」はすごくハードルが低いもの

していると は限りません。未(いま)だに知らない漢字や単語に出くわすことがよくあるでしょう。

ましてや大人になってから学んでいる外国語ともなれば、いくら学んでも間違えることがあって当たり前です。学んでも学んでも、まだ知らないことが残っている状態が普通なのです。

ですから、「語学の習得に完璧はない」と割り切りましょう。

その上で、**「そもそも言語はコミュニケーションツールである」という基本を忘れないでいることも大切**だと思います。

実際、相手の母語で簡単な挨拶や自己紹

介ができるだけでも、多くの人は心を開いてくれるものです。

おそらく相手の母語を学んでいるということ自体が、相手の国や文化に対する敬意と受け止められるからでしょう。

完璧にマスターなどしていなくても、まずは最低限のコミュニケーションさえ成立すればよしとする。それくらいリラックスしていたほうが、挫折することなく学び続けることができて、そのうち苦手なことも克服できるはずです。

▼文法にはこだわらない

言語を習得するには、とにかく毎日、その言語に触れる時間を作ること。壁にぶつかっても立ち止まらず、走り続けることが必要不可欠です。

これは「早く壁を打ち破れるよう、とにかく頑張れ」という根性論ではありません。むしろ根性論は、私からすると外国語学習の敵といってもいいくらいです。というのも、私の経験上、**根性を発揮して無理に努力するよりも、無理のない範囲で楽しく**

学んだほうが、ずっと走り続けられるものだからです。

わからないことに遭遇するたびに翻訳ツールで調べたり、機会があればネイティブに確認したりすることは大切ですが、ここで必要とされているのは根性ではなく、むしろ気楽なマメさです。

言語は未知なる生き物のようなものです。マシンと違って絶えず変化し続けるものですし、いくら学んでも学び終えるということがありません。だからこそ、あまり細かいところにはこだわりすぎず、大らかに、気楽に、適当に学んでいく。いってみれば**「構えすぎないという心構え」で外国語学習に臨むことが、挫折を防ぐ秘訣**だと思います。

これは、特に文法についていえることかもしれません。**受験英語を引きずっていると、どうしても「文法を完全に頭に入れてから、リスニングやスピーキングを鍛えよう」という発想になりがち**です。すると文法の完璧さにこだわり、そのため細部にまでこだわり、さらには苦手の克服にこだわり……と、こだわりだらけになってしまいます。

しかし「コミュニケーションツール」としての言語を習得する上での文法の位置づけは、受験英語のそれとは根本的に違います。

ステップ①でネイティブの発音を真似しながら頻出フレーズを覚える、ステップ②で実践的な文法を学ぶという本書のメソッドにもあるとおり、文法は、覚えたフレーズから逆算するように学んだほうが効率的なのです。

ステップ①では、ほぼ文法の知識ゼロのまま頻出フレーズを覚えることになるので、受験英語の記憶が色濃い人は、モヤモヤしてしまうでしょうか。

すると、文法のロジックを早く学んで納得したくなるかもしれませんが、そこをあくまでもラフに捉えたまま、まずフレーズから身につけていくというのを、ぜひ体験していただきたいと思います。

この「ラフな学び方」の効果を、きっと実感できるでしょう。

「聴く」「読む」が一気に上達する心得

▼「大意」をつかむだけでいい

映画やドラマ、Podcastはリスニングの練習台に、マンガやエッセイ、ブログなどはリーディングの練習台になります。ここでも鍵となるのは「完璧」を求めないこと、つまり**すべてを完全に理解しようとしないこと**です。

これには「自分に優しくしたほうが楽しく学習を続けられる」という意味合いもありますが、実はもっと重要なポイントがあります。完全に理解しようとしないほうが早く上達できるのです。

私もよく現地の動画コンテンツを見たり、文字コンテンツを読んだりしますが、そこで常に心掛けているのは「大意をつかむこと」です。

「だいたいこんなことを話している」「だいたいこんなことが書かれている」というのがわかればOK。そういう心構えで臨まないと、わからない単語や表現が出てきたときに焦り、思考停止になって「結局、何も理解できなかった……」ということになりかねないのです。

この心構えは、ネイティブと話しているときにも有効です。

日本語話者同士で話しているときだって、相手が言ったことを、一言一句逃さず捉えているわけではありませんよね。

そう考えると、**コミュニケーションとは互いに「大意を理解する」のを繰り返すということ**なのだと思います。外国語のネイティブと話すときは、その「大意」の割合が少し変わるに過ぎません。

仮に日本語話者同士で話すときは、発せられる言葉の8～9割を捉えているとしたら、外国語のネイティブと話すときは6～7割。だいたいそれくらい理解できれば立派にコミュニケーションは成立します。すべてを完全に理解できなくても事足りるのです。

もちろん、理解できる割合が多いに越したことはありません。しかし「完全に理解しなくては」と思うあまり、しばしば思考停止に陥っていては一向にリスニングは上達しないでしょう。

常に大意をつかむことを心掛けていれば、徐々に聴き取れる幅を広げ、大意の割合を増やしていくことができます。**細部にこだわるより、ぼんやり、ざっくりとでも全体を捉える練習をしたほうが上達は早い**のです。

▼「5W1H」「動詞」「語順」を意識する

では、大意をつかむためには、どのようなところに注意したらいいのでしょうか。

「5W1H」「動詞」「語順」を意識すれば、
やりとりの大意をつかめる

私は**「5W1H」「動詞」が大意をつかむポイント**だと思っています。

コミュニケーションは言葉のやりとり、もっといえば「お互いへの質問」のやりとりということです。

となると、「いつ」「どこで」「誰が」など、まず相手が自分に何を尋ねているのかをつかめなくては、答えることが難しく、コミュニケーションが成立しません。

また、動詞は文章の要（かなめ）です。動詞さえ聴き取れれば、相手が何を言っているのかがたいていわかる……というのは言い過ぎですが、少なくとも動詞を聴き取ることができれば、そこに付随する目的語などが聴き取れなくても、とりあえずは大丈夫でしょう。

細部については、適宜相手に聞き返すなどして確認しながら、会話を前に進めることは可能です。

特に、動詞の活用が多い言語の場合、動詞ひとつに「主語」「時制」などさまざまな情報が含まれています。

つまり動詞さえ聴き取ることができれば、「誰のことを話しているのか」「いつのことを話しているのか」がわかるということです。

英語の場合、動詞の活用の基本ルールは「主語が三人称の場合は語尾にsがつく」「過去形の場合は語尾にedがつく」くらいです。

一方、多くのヨーロッパの言語は、たいてい主語や時制によって動詞を細かく活用するため、ひとつの動詞にいくつもの活用形があります。

そんなにたくさん覚えなくてはいけないのかと思ったかもしれませんが、実は一部の例外を除いて、動詞の活用には法則があります。スペイン語でいくつか例を挙げてみましょう（次ページの図参照）。

動詞の活用には「法則」がある

勉強する

原形：
estudiar

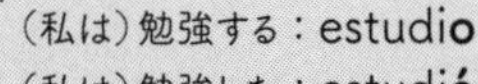
（私は）勉強する：estudi**o**
（私は）勉強した：estudi**é**
（私は未来に）勉強する：estudi**aré**
（あなたは）勉強する：estudi**as**
（あなたは）勉強した：estudi**aste**
（あなたは未来に）勉強する：estudi**arás**

働く

原形：
trabajar

（私は）働く：trabaj**o**
（私は）働いた：trabaj**é**
（私は未来に）働く：trabaj**aré**
（あなたは）働く：trabaj**as**
（あなたは）働いた：trabaj**aste**
（あなたは未来に）働く：trabaj**arás**

すべてが完璧に法則化されているわけではありませんが、こうして並べてみると、傾向は見て取れるでしょう。**原形の語尾（太字部分）が主語や時制によって変わる、そこに一定の法則**があります。

つまり、例外はあるとはいえ、スペイン語の場合、動詞の原形の語尾は「ar」が多く、「私」が主語のときの語尾は現在形だと「o」、過去形だと「é」、未来形だと「aré」になるんだな、などと覚えればいいわけです（ちなみに、ここでは便宜的に「現在」「過去」「未来」だけをピックアップしましたが、他の主語や時制による活用にも法則があることには変わりありません）。

こうした法則に従って考えれば、外国語の文法を覚えるのにそれほど苦労することはないはずです。

ヨーロッパの言語を学ぶときは、とりあえず「私は」「あなたは」それぞれの現在形、過去形、未来形の法則くらいは覚えておくといいでしょう。

一方、**動詞の活用がないに等しいアジア系の言語だと、動詞ひとつから多くの情報を読み取ることはできません。その場合は、「語順」に注目**して、できるだけ動詞を聴き取れるようにします。ここでは、私が習得してきた言語から、いくつか例を挙げましょう。

たとえば中国語やタイ語の語順はほぼ英語と同じですから、大意をつかむためには、特に「主語の後に発せられる言葉」を聴き取れるように集中すればいいということです。

また、韓国語の語順は日本語とまったく同じです。単語が置き換わっているだけという感覚なので、比較的、大意をつかめるようになるのは早いでしょう。韓国語ほどではありませんが、トルコ語や、意外なところではヒンディー語も文法的には日本語に近いといえます。

大事なのは、いかなる言語においても、言語ごとの法則に従い、聴くべきポイントに集中して耳を傾けることです。

もちろんすべて聴き取れることがベストですが、初期のうちは6~7割程度の「大意」をつかむことを目標に、とりあえず「5W1H」と「動詞」に集中することから始めてください。

自己暗示をうまく活用する

▼ネイティブになりきって「フィラー」を言う

とても感覚的な話なのですが、**外国語を習得するのは、いわば「その言語を話す別人格を獲得する」ようなもの**なのかもしれません。その別人格の獲得がうまくできればできるほど、習得も早くなる気がします。

別の言い方をすれば、ネイティブと話すときに「ネイティブになりきる」「日本語話者としての自分を静かにさせる」ことがポイントです。決して侮れない自己暗示の力

ネイティブになりきって「フィラー」を言うと、自分に対して「話せる！」という自己暗示をかけることができる

を借りると言ってもいいでしょう。

そこで私が普段ネイティブと話すときに意識していることを、2つほど共有します。

まず1つめは、**「フィラー」を言うときも、ネイティブと同じように、その言語で言う**ことです。

フィラーとは、次に言うことを考えている間や、話し始めの取っ掛かりとして言う言葉のこと。英語だと「Well...」「Um...」「You know,」「So,」「Like...」「I mean,」などがフィラーに当たります。ちなみにスペイン語には「Este,」「Como,」「Bueno,」「Pues,」「Mira,」といったフィラーがあります。

頭の中で「学習中の言語」と「日本語」の行き来がなるべく起こらないようにすることは、言語習得を早める上で非常に有効です。

普段は日本語を話して暮らしているわけですが、ネイティブと話しているときは、なるべく頭が日本語に引き戻されないようにする。言い換えれば、その言語で頭の中をいっぱいにするということです。

ネイティブと話しているときに、独り言のように「えーっと」「何だっけ」「だから」「それで」などと言ってしまうのは、つまり、まだまだ頭の中で日本語の占める割合が多いということです。

フィラーを言うたびに頭が日本語に引き戻されてしまうため、リスニングにおいてもスピーキングにおいても非効率的といえます。

ほんの1語、2語から成るフィラーなど、取るに足らないと思ったかもしれません。

しかし、それくらい**小さな言葉すらもネイティブのように言うことで、「日本語話者としての自分」を静かにさせることができる**のです。

▼人格もネイティブに近づける

ステップ①では、ネイティブの発音を真似て声に出すという練習を積み重ねていきます。

いくらかの練習を積み重ねてから実際にネイティブと話す機会を得たときは、発音だけでなく、身振り手振りの大きさや声のトーン、ノリなどもネイティブに寄せて「なりきる」ことができると、いっそう効果的でしょう。

私も海外の人たちと話しているときは、相手の国によって若干、別人格になっているような感覚があります。

もちろん私の内面は変わりません。嘘（うそ）をつくとか自分を偽るといったことではなくて、ごく表面に出ている部分だけが少し変わるという感じです。

もちろん人格は人それぞれですが、それでも「国民性」という言葉があるように、話者が暮らしている国ごとに緩やかな性質の傾向はある気がするのです。

その研究のために、第2章で紹介したEasy Languagesを活用することもあります。

Easy Languages は、さまざまな国で街頭インタビューをするという YouTube チャンネルなので、いわば「ネイティブの素の姿」を見ることができます。

そこで国ごとの人々の話し方や身振り手振り、声のトーンやノリの傾向を観察していると、色々な発見があって興味深いのです。

たとえばタイの人たちは、話し方や態度が比較的ゆったりしています。

少し前に初めてタイに行ったときには、私も、ゆったりとしゃべっていました。現地にいると「周囲につられて、そうなる」という感じも強かったと思います。

ともあれ、こうして**「空気感の歩調」が合うと、よりコミュニケーションが取りやすくなる**という感触がありました。同じくらいの声のトーンで話すと、相手もこちらの言っていることが聴き取りやすくなるのでしょう。

その他の言語でも、フランス語やドイツ語、英語、ロシア語は少し低めのトーン、スペイン語や中国語は少し高めのトーンで話すという具合に、言語によって少しずつ使い分けています。

学術的なことはよくわからないのですが、もしかしたら、言語の構造によって発声しやすいトーンが違うのかもしれません。

言語の学習を始めたばかりの段階では、「なりきる」と言われてもピンとこないと思いますが、まず声のトーンを合わせるくらいならステップ①でも可能です。ネイティブの口元に加えて、トーンにも要注目とお話ししましたね。

その後、「なりきること」にも慣れるには、日常的に、その言語のネイティブの素の姿を観察できるものを観たり、そこで目にしたネイティブの声のトーンや話し方を真似して独り言を言ってみたりするといいでしょう。

このように一種の「イメージトレーニング」をしておくと、いざネイティブを前にしたときに、不思議と不安や焦りが抑えられます。

スピーキングは自信に大きく左右されます。「話せる！」と思うと意外と話せるものですし、「まだまだぜんぜんダメ……」と思っていると単語をド忘れしたり、覚えたはずのフレーズが出てこなくなったりしてしまうものです。

そこで、**本当はまだ上手にたくさん話せなくても、身振り手振りや声のトーンとい**

った形だけでもネイティブになりきることで、「自分は話せる」という自己暗示をかけることができるのです。

もともと「話せる」のハードルが高く、「完璧」を求める傾向がある日本人は、そのせいで、なかなか自信をもちづらいのではないでしょうか。

先にネイティブになりきることで「話せる」という自己暗示をかけてしまうのは、日本人が失敗を恐れずにネイティブと話せるようになる最適な方法と言っていいでしょう。

外国語習得の道は「螺旋階段」

▼終わりがないからこそ「ほどほど」の精度を上げる

本章ではたびたび「完璧を求めないほうが上達は早い」とお伝えしてきました。

母語である日本語ですら完璧ではないことを考えれば、外国語で完璧を求めるのは自分に対して厳しすぎます。

発音も文法も語彙力も「ほどほど」でいいのです。「ほどほど」のままネイティブと話してもまったく問題ありません。

間違いを恐れる気持ちが強い人も多いと思いますが、**間違えたところは記憶に残りやすいため、改善しやすい**というのも事実です。つまり、間違いを恐れずにどんどん話して、相手からどんどん間違いを指摘してもらったほうが早く上達できるというわけです。

今、自分の外国語学習歴を振り返って、改めて思うことがあります。

それは、やはり外国語学習に終わりはないということです。

発音を完璧にする段階、文字を完璧に覚える段階、文法知識を完璧に身につける段階と、ひとつひとつのステップを完璧に練り上げた末に「習得した」という完成形があるのではなく、**「ほどほど」の精度を少しずつ上げていく**イメージです。

第3章で紹介した2つのステップも、便宜上「ステップ」とは呼びましたが、ステップ①を完了してからステップ②に進むということではありません。

まず発音の練習に始まり、フレーズのストックを増やし、そこに文法知識を足していく。その最中に文字を覚えたりもしつつ、まだまだ発音は練習しますし、フレーズ数や語彙数を増やすことも続けていきます。

初期段階こそ、ネイティブの発音を聴いて真似ながら頻出フレーズを覚えるという点に絞られていますが、それ以降は、発音、フレーズ、語彙、文法、文字——言い換えればリスニング、スピーキング、リーディング、ライティングを、すべて同時に訓練していくわけです。

▼自分の実力値は「実践」を通じて確認する

そういう意味では、本書のメソッドは、**一段階ごとに完結させながらレベルアップを図る「ステップ・バイ・ステップ」ではなく、すべてを同時に取り組みながら、少しずつ上昇していく「螺旋（らせん）階段」**のような感じといえます。

この外国語学習の螺旋階段には、「ここまでできるようになった」といった明確な指標がありません。

となると、ともすれば自分の能力の現在地を見失い、迷子になってしまいそうだと思われるかもしれませんが、自分の実力値は「どこまで進んだか」という教科書的な指標ではなく、あくまでも実践を通じて確認していってください。

その言語の映画やドラマを観る、ネイティブが話しているYouTubeチャンネルやPodcastを視聴する、ネイティブと話す機会を積極的にもつ、本やマンガ、ネイティブが発信しているSNSやブログを読む。

こうしたリアルな実践において少しずつ上達している実感を得ながら、楽しく、そしてラフに学習を続けていきましょう。私の外国語学習も、みなさんと共にまだまだ続きます。

著者略歴
Kazu Languages（カズ・ランゲージズ）
インフルエンサー
2000年3月4日生まれ。愛知県出身。スペインの音楽に関心を抱いたことをきっかけとして、外国語学習を開始。以降、5年間で12ヵ国語を習得（スペイン語、英語、フランス語、アラビア語、インドネシア語、ロシア語、ポルトガル語、ドイツ語、トルコ語、中国語、タイ語、韓国語）。外国語学習の楽しさを発信するため、2022年に本格的に「Kazu Languages」というチャンネル名でYouTuberとしての活動を開始。年内に登録者数10万人を突破、翌年には台湾の急上昇ランキング3位を記録、そして日本国内でも急上昇ランキング18位となり、アメリカ、ロシア、ブラジル、ドイツ、インドなどさまざまな国からも視聴されるチャンネルになった。YouTube、TikTok、Instagram、Facebookの総フォロワー数は現在、のべ200万人となっている。

SB新書　653

ゼロから12ヵ国語マスターした私の

最強の外国語習得法

2024年 5 月15日　初版第1刷発行
2024年10月17日　初版第8刷発行

著　　者　Kazu Languages（カズ ランゲージズ）
発 行 者　出井貴完
発 行 所　SBクリエイティブ株式会社
〒105-0001　東京都港区虎ノ門2-2-1
装　　丁　杉山健太郎
イラスト　加納徳博
校　　正　有限会社あかえんぴつ
編集協力　福島結実子（株式会社アイ・ティ・コム）
編　　集　小倉 碧
D T P　株式会社キャップス
印刷・製本　中央精版印刷株式会社

本書をお読みになったご意見・ご感想を下記URL、
または左記QRコードよりお寄せください。
https://isbn2.sbcr.jp/23654/

落丁本、乱丁本は小社営業部にてお取り替えいたします。定価はカバーに記載されております。
本書の内容に関するご質問等は、小社学芸書籍編集部まで必ず書面にて
ご連絡いただきますようお願いいたします。

ISBN　978-4-8156-2365-4